ÇA SE CORSE !

AUX MÊMES ÉDITIONS

De Patrice DARD
(Les Nouvelles Aventures de San-Antonio)

Corrida pour une vache folle,
roman, 2002.

Les Contrepets de San-Antonio, 2002.

Un pompier nommé Béru,
roman, 2002.

Les escargots ne savent plus baver,
roman, 2003.

De Frédéric DARD
(romans de jeunesse)

La Peuchère, nouvelle,
Lyon, 1938 ; Paris, 2002.

Monsieur Joos, roman,
suivi de
La Plaque tournante et
Vie à louer, nouvelles,
Lyon, 1941 ; Paris, 2002.

Le Norvégien manchot, roman,
Lyon, 1943 ; Paris, 2002.

Croquelune, roman,
Lyon, 1944 ; Paris, 2002.

Les Pèlerins de l'Enfer, roman,
Lyon, 1945 ; Paris, 2002.

Saint-Gengoul, roman,
Lyon, 1945 ; Paris, 2002.

Au massacre mondain, roman,
Lyon, 1948 ; Paris, 2002.

Équipe de l'ombre, roman,
Lyon, 1941 ; Paris, 2003.

Georges et la dame seule, roman,
Gap, 1944 ; Paris, 2003.

La Mort des autres, nouvelles,
Lyon, 1945 ; Paris, 2003.

Le Tueur en pantoufles, roman,
Lyon, 1950 ; Paris, 2003.

Patrice Dard

LES NOUVELLES AVENTURES DE
SAN-ANTONIO

ÇA SE CORSE !

roman explosif

Fayard

De tous mes fils,
c'est le mien que je préfère.

FRÉDÉRIC DARD.

A Jeannine.

P. D.

Et à Dominique-Antoine Grisoni.

S.-A.

Avertimentu

Ogni sumiglia tra i persunaggi d'issa storia
e persunaggi chi hannu campatu,
chi campanu sempre,
o chi so per scumparisce,
ùn sarebbe micca una cumbinazione
ma una sgalabatezza.

S.-A.

Avertissement

Toute ressemblance entre les personnages
de cette histoire et des personnages ayant existé,
existants ou étant proches de ne plus exister,
ne serait pas une coïncidence,
mais une maladresse.

S.-A.

A propos de la Corse :

J'ai quelque pressentiment qu'un jour cette petite île étonnera l'Europe.

Jean-Jacques ROUSSEAU,
Le Contrat social.

L'action de ce roman débute le 20 mars 2003 (chouette, la guerre en Irak !) et se termine quelques jours plus tard.

J'en ai commencé la rédaction le 21 mars (avec le printemps) pour l'achever le 15 août (merci, Vierge Marie !)

Entre-temps, des événements graves se sont produits entre la France et la Corse, qui m'ont contraint à moduler la trame de mon histoire et dont on ne saurait encore mesurer les conséquences.

SAN-ANTONIO.

Acte I

HOLA !
IL S'EST FAIT LA BELLE,
TCHI ! TCHI !

carte postale des sanguinaires (pas les îles)

E cose torte strappanu.
Ce qui est tordu se casse.

1
L'évasion

se produisit le jeudi 20 mars.
Ce fut la plus sanglante de l'année, mais on en parla peu car ce matin-là, en Irak, un débile avait décidé d'attaquer un bourreau, vous en souvient-il ?

La balle lui entra dans la bouche et ressortit par le sphincter anal. Si elle avait suivi les voies naturelles, elle aurait somme toute accompli le trajet habituel d'un bol alimentaire. Mais elle eut la malignité de tracer au plus court, perforant le foie, la bordure pancréatique et la gracieuse guirlande de l'intestin grêle.

La malchance s'acharnait sur ce jeune flic : au saut du lit, déjà, il avait pris pied dans le vomi de son chat. Voilà maintenant qu'il agonisait sur un trottoir de Fresnes, se vidant comme un goret dont on ne ferait ni boudin ni museau vinaigrette.

Le motard étant non marié et sans enfants, il raterait à coup sûr la Légion d'honneur à titre posthume.

Pourquoi avait-il fallu qu'il lève le nez vers cette terrasse ? Le flair de flic, sans doute. De haut en bas, le tireur l'avait allumé en pleine poire.

Il ne mourut pas mais perdit l'usage de ses jambes. On le verra un jour médaillé handisport sur un fauteuil profilé, dressant glorieusement ses paluches musclées comme des pinces de homard.

Ses compagnons motocyclistes eurent moins de veine. Celui qui ne supportait pas le gilet pare-balles bloqua un projectile à l'aide de son ventricule droit ; l'autre établit la preuve formelle que son casque haute protection savait goûter les prunes de gros calibre.

Quant au chauffeur du fourgon et à son collègue antillais, ils furent dislocalisés par une grenade défensive. Cherche encore main mulâtre portant alliance gravée en fines anglaises : « *à Doudou pour la vie* ».

En fait, pour meurtrière qu'elle fussasse (subjonctif parfait selon ce pauvre tonton Béru dont la vie ne tient qu'à un miracle, vous l'allez voir), cette évasion n'en demeura pas moins classique : deux camions bloquant le convoi, compostage continu des convoyeurs par les complices... Une véritable histoire de cons !

Ne restait plus qu'à faire péter le blindage arrière du véhicule cellulaire pour libérer le détenu.

– *Rincula, la porta s'hà da saltà !* (recule, la porte va sauter !) lança Situcci, le chef du commando.

Boum ! L'explosion fut sourde mais lumineuse. Un lambeau de ciel pendouilla soudain dans l'habitacle.

« Boum » ! L'onomatopée résonnait tendre en la mémoire de Pantaléon. Cette musique lui évoquait la liberté, le pays, les douces nuits bleues d'été, quand craquetaient les cigales et craquaient les sous-préfectures. « Boum, quand votre cœur fait boum ! »

Une main libératrice s'insinua pour déverrouiller l'issue. Situcci Paoli se montra chagriné de découvrir son maître à tuer en compagnie d'un gros mec hirsute, ventru et malodorant.

– Ho, Pantaléon, qui c'est ce *tripputu* (gros lard) ? Tu devais être transféré seul.

– L'administration pénitentiaire en a décidé autrement. Ce monsieur m'accompagne.

– *Puzza di muntone, di vittulu !* (il pue le mouton, le traître !)

– Possible qu'on m'ait foutu un poulet dans les pattes ! Et alors ?

– Alors, on le bute !

– *Aspitta* ! Un flic, ça fait un bon otage en cas de problème.

– Le dernier otage qu'on a libéré, y a fallu le champion du monde de puzzle pour le reconstituer, ricana Situcci.

Histoire de marquer son territoire et sa réprobation, Alexandre-Benoît – vous aviez peut-être pigé qu'il s'agissait de lui – craqua l'une de ces louises fétides dont il préserve jalousement le secret de fabrication. Ce qui précipita l'évacuation du fourgon.

Lorsque la volaille de rescousse rappliqua sur place, elle dénombra quatre macchabés et un paraplégique des membres inférieurs, comme évoqué précédemment. Elle constata l'échappée belle de Pantaléon Buonamorte, l'un des truands les plus trucidants de sa génération, mais personne ne mentionna la disparition du Gravos. Et pour cause : j'étais le seul, ou presque, à savoir que Sa Majesté Bérurier se trouvait embarqué dans la galère, étant l'inventeur de ce plan pourri. Une brillante initiative lorsque tout baigne, devient vite une bavure quand ça foire.

Je vous la fais brève. Une fouille de routine dans les cellules de la centrale ayant démontré que Pantaléon préparait une évasion, il avait été décidé de le transférer et, pour ne pas échauffer les esprits, de lui faire bénéficier de la nouvelle loi permettant aux détenus corses d'être hébergés pour convenance personnelle dans une prison visible du clocher de leur village. Direction donc Borgo !

Et c'est là, piètre glandu, que j'ai voulu ajouter mon grain de sel. Profitant des pouvoirs qui m'avaient été conférés par mon supérieur vieillarchique, j'ai suggéré qu'un flic pourrait être infiltré dans l'entourage de Buonamorte. Beurré de chez Béru, le Mastard s'est porté volontaire. J'ai trouvé l'idée cool et ai accepté.

Voilà où nous en sommes, à la seconde précise.

Je ne mesure pas encore les conséquences de ma décision, et j'ignore encore tout, moi, Toinet, de la guerre qui va m'opposer à mon père. Mais j'en frémis des miches, parce que mon père, franchement, vous le connaissez ? C'est le commissaire San-Antonio.

U mortu allarga u vivu.
Le mort fait de la place au vif.

2
Trois jours

plus tard, Saddam chie de trouille.
Il ne sait plus si ses potes iront,
car ses sosies sont (pommes à l'huile)
moins chauds pour parader à sa place.

En s'inclinant, le maître d'hôtel efface un goitre balladurien. Son obséquiosité et les coudes lustrés de son habit racontent mieux que tous les guides sa dégringolade du firmament de la haute cuisine. La dernière étoile du restaurant s'est désintégrée depuis des années Michelin dans le trou noir de sa comptabilité.

– Madame, Monsieur...

– Une table a été réservée...

– En effet ! s'empresse le loufiat en rayant sur un registre dépenaillé le nom de San-Antonio tout en haut d'une redoutable page blanche.

Le pingouin nous pilote à travers une salle plus vide que les hémisphères de Magdeburg ou les burettes d'un scout après une nuit sous la tente de son chef de patrouille.

– On est lundi, ne prends surtout pas de poisson ! soufflé-je à Marie-Marie.

Le velours rouge tanné des sièges m'évoque les strapontins du cinéma de Saint-Cloud la veille de sa démolition. Les nappes aux dentelles de Jouy portent des estompes qui furent un jour gourmandes.

– Votre table, Monsieur. Je vous l'ai choisie car elle est la plus tranquille, mais si vous préférez changer...

– En aucun cas ! intempestivé-je.

« Votre dame prendra place sur la banquette. Vous lui ferez face et vous observerez. Si vous êtes vigilant, San-Antonio, peut-être pourrez-vous retrouver Pantaléon Buonamorte. »

Le larbin nous distribue les menus et s'émancipe de cette démarche de palmipède du con qui consiste en un balancement des épaules, assorti d'une ondulation du bassin aquitain et du croupion.

On parle toujours des gueules de con. Mais ce

n'est pas qu'à sa gueule qu'on reconnaît un vrai con ! Le visage est même le seul organe avec lequel il parvienne à tricher. Coiffure, lunettes, moustaches, maquillage, barbe, percing, postiches, tatouages, favoris, lentilles permettent de modeler un faciès, de le noyer sous la vague d'une mode, de lui imprimer le sceau d'une génération. De nous emberlificoner.

Si la crête de Huron ou le diamant incrusté dans la narine n'annoncent pas forcément un prix Nobel de physique-chimie, la calvitie et les besicles cerclées d'or dissimulent parfois quelque con conséquent.

Comme le cheval, le con s'apprécie surtout à son allure. Il m'advient d'en répérer à distance, de dos dans une foule.

Je subodore un con sans même avoir encore subi l'assaut de ses balourdises. Car, en outre et par outrage, le con ponctue ses phrases de tournures qui le dénoncent sans ambages à l'attention de ses non-cons citoyens :

« *Toute façon ! Hé, faut bien ! Par le fait. N'a beau dire... Tous les mêmes ! – Et encore... Tiens, je préfère me taire.* »

Et là, prends garde, car lorsqu'un con se tait,

c'est qu'il mijote une nouvelle connerie. Un jour, promis, je t'offrirai la liste exhaustive de ces « confixes ». Mais l'heure est mal choisie, crois-en moi sur parole.

– Quelle idée de m'amener dans ce restau lugubre ? s'étonne Marie-Marie.

« Vous vous rendrez au "Pigeon Truffier" à 13 heures précises. Une table vous y attend. Ne dites rien à vos collègues et venez seul avec votre femme, sinon... »

Ma femme ! Comment ce téléphoneur inconnu au parler corse parodique sait-il que j'envisage peut-être d'épouser Marie-Marie pour de presque vrai ? Lirait-il dans mes pensées ou mes velléités ?

La Musaraigne a déboulé de Suède, notre petite Antoinette sous le bras, en me posant un ultimatum limpide : tu m'aimes pour toujours ou pour jamais ! Façon de parer au plus pressé, je lui ai offert un camée de Pompéi représentant le meilleur profil gauche de Sainte-Foutraille aspergée par la lave.

Mais, peu bricoleur comme tu me sais, suis-je encore capable d'assembler les pièces d'un amour

Ikéa avec un dessin muet en guise de mode d'emploi ?

Pour tenter de faire sereinement front à ce dilemme, je me suis octroyé une semaine farnientique. Marie-Marie a confié notre gamine à Félicie, ma brave femme de mère, et moi les clés du pouvoir poulardin à Toinet, mon flic de fils.

On vivrait un voyage de noce à l'essai dans un dimanche parigot au printemps précocement frivole, sans l'évasion sanglante de Pantaléon Buonamorte dont tu as déjà été mis au parfum par mon rejeton au chapitre précédent – m'dis pas le contraire, je le sais.

P' pas gâcher la fête, je n'ai même pas informé Marie-Marie de l'inquiétante disparition de son oncle Béru. Ni du harcèlement nokaïen dont je suis l'objet depuis le début de la matinée.

C'est bon, tu as pigé la situation ? Tant mieux, parce que dans ce bouquin comme dans toutes les grandes histoires à suspens, il ne faut pas rater une once du début !

Nous commandons des denrées sans risque : asperges tièdes vinaigrette et poulet de Bresse rôti aux extra-fins, poussés par un juliénas fruité à tes souhaits.

La salle déserte et fanée possède le charme désuet des casinos de plage en hiver lorsque le pianiste dodeline sur des accords de Duke Ellington.

– Finalement, on est bien, murmure Marie-Marie en effleurant ma main. Même dans un restaurant bondé, je ne verrais que toi.

Ses yeux brasillent d'une flamme dont je suis inquiet d'être le tisonnier.

– Tu vas quitter la police, on ne se séparera plus jamais, souffle-t-elle. Tu écriras des romans et Antoinette aura plein de frères et sœurs. Tu le jures ?

– Je le jure, réplique une voix distraite qui est peut-être la mienne mais à coup sûr celle d'un parjure en devenir.

« Votre dame prendra place sur la banquette. Vous lui ferez face et vous observerez. »

Cette phrase sibylline de mon électrocuteur anonyme m'obsède. Le repas touche à sa fin et rien ne s'est produit. J'étais pourtant sur mes gardes, craignant que mon exposition dos à l'entrée de la gargotte ne fasse la pelote d'un exécuteur des basses œuvres.

Nulla é niente ! Rien de rien !

Holà ! il s'est fait la belle, tchi ! tchi !

Une paix éternelle baigne cette nécropole de la gastronomie. Figé dans un angle de la pièce, le maître d'autel gratouille ses tifs eczémateux, laissant neiger sur ses épaules un effroyable mille-feuille au sucre vanillé.

« *Vous lui ferez face et vous observerez.* »

Observer quoi, fumier ? La cretonne pisseuse du mur ? Ce miroir conchié par mille générations de mouches à merde dans lequel se reflètent la nuque de Marie-Marie et, par intermittence le spectacle de ma gueule séduisante mais tourmentée ?

Mon lutin privatif m'hurle dans l'oreille interne qu'un bidule ne tourne pas rond. Je profite d'un besoin qu'éprouve Marie-Marie d'aller se laver les mains, because graillon sur pilon de poulet, pour me lever à mon tour et entraîner le serveur de chez Borniol à l'écart.

– Dites-moi, vieux, le type qui a réservé pour moi, il avait l'accent corse, n'est-ce pas ?

– Il m'a semblé.

– Il vous a demandé de m'attribuer une table bien précise.

– En effet.

– Celle que j'occupe actuellement ?

– Non, mais comme je vous l'ai dit, je pensais que vous seriez mieux là...

Je le secouerais bien par le colback, mais l'avalanche squameuse de sa calvitie galopante m'en dissuade.

– Où devions-nous déjeuner ? insisté-je insistamment.

– Table 22, c'est ici.

Il m'indique un emplacement identique à celui que nous occupions avec ma dulcinée. Sauf qu'à la place du miroir, un tableau tourne le dos au mur. Je m'assieds face à lui et le scrute pour répondre à l'injonction de mon bigophoneur incognito.

L'œuvre, bien qu'apparentée croûte, ne mérite pas le label de mon regretté Poilâne qui cherchait tant à dépénaliser la gourmandise, et Dieu fasse qu'il réussisse à régler son nouveau four.

Le portrait représente une femme plus belle que jeune, mais t'as remarqué la relativité de la jeunesse ? Rappelle-toi les vioques de ton enfance... Elles te paraissent bien jeunettes maintenant que tu ressembles à un croisement de Belmondo et de son yorkshire. L'impitoyabilité du temps serait insoutiendable si ces deux mots-là existaient.

Brune filamentée d'argent, la diva du tableau assume d'un regard fauve la semi-nudité de sa poitrine. J'endurerais volontiers la réclusion à perpète aux seins de sa quarantaine. Ce genre de farouche femelle m'a toujours affriandé. Je la fixe droit dans les châsses, à m'en faire péter l'iris. Une bandaison s'esquisse même en aparté.

Mais voilà que je la retapisse : Colombina Buonamorte !

Sa photo d'identité constelle tous les commissariaux, gendarmasseries et autres lieux de sécurité publique. Épouse présomptive de Pantaléon, elle a disparu de la circulation depuis le récent carapatage de son julot.

– Tu la connais ?

– Qui ça ? s'effarouche Crâne-feuilleté devant ce tutoiement mordant.

– La dame du portrait !

– Pas du tout.

– Me vends pas de salades !

– Je vous assure. Son visage m'est certes familier en peinture, mais je ne n'ai jamais de mes yeux vu le modèle.

Marie-Marie, ayant regagné la table, donne des signes d'agacement en tortillant du prose sur la banquette. D'une mimique, je l'invite à un soupçon de patience.

– Il est là depuis combien de temps, ce tableau ?

Perplexe, le garçon frictionne son menton à gibecière, lequel est mignardement percé d'un trou du cul genre fossette d'aisance.

– Disons... peut-être un an.

– Comment est-il arrivé ici ?

– Cadeau du peintre. C'était un ami de mon patron.

– Votre patron, on pourrait le voir ?

– Bien sûr, au cimetière de Santa-Pina. C'est en Corse, un superbe village haut perché dans la Balagne, s'enhardit le gus.

– Il a été flingué ? présupposé-je.

– Par un cancer. On l'a enterré le mois dernier.

Je lorgne la signature au bas du portrait.

– Et le peintre, ce Pol Ange ?

– Il était aux funérailles.

– Je m'en tape ! Où crèche-t-il, maintenant ? grondé-je, hors de mes gonds.

– Peut-être chez lui. Il habite à deux pas.

Je fourre une brassée d'euros dans la poche de l'amphitryon à pelade.

– Tiens, Grand ! Tu vas me filer l'adresse du barbouilleur, te payer la douloureuse et demander à ma copine de m'attendre encore cinq minutes.

– C'est tout ?

– Dis-lui aussi que je l'aime.

– Voilà une mission bien agréable, fait le zigue en feuilletant mes biftons.

– Surtout quand on n'est pas concerné.

Grâce à mon sésame, la porte d'entrée se rend corps et biens. Je m'engage dans un escadrin plus étriqué que la carte du Chili dans ton livre de géo. Mon pas fait couiner chaque marche et la rampe, cette salope, branle sous mes doigts. Je débarque dans un atelier d'artiste que les producteurs d'Enculmol qualifieraient de « loft » pour s'en attribuer les droits d'odeur, et dont la verrière largement ouverte laisse pénétrer un soleil juvénile. Occupant le centre de la pièce, un chevalet supporte une toile de grand format. Un trépied à selle de cuir, une table roulante chargée de pinceaux, de tubes, de chiffons et de pots de yaourt barbouillés complètent le mobilier.

Le tableau montre une femme dans sa baignoire dissimulant sa poitrine d'un cubitus pudique. A travers les remous du bain, on distingue un pubis brun fourni comme tu aimes. L'œuvre semble inachevée, car le visage est illisible, cloqueux, boursouflé. En m'approchant, je réalise qu'il a été cramé. Les couleurs ont fondu, se sont mêlées, vernissées, lui donnant la terrifiante patine des grands brûlés de la face.

Je passe en revue les autres toiles dressées contre les murs. Toutes celles représentant la nana ont subi le même sort.

Représailles ? Rituel ? Sacrifice ? Sacrilège ? A quoi riment ces profanations picturales ? Le visage mutilé n'est-il pas à chaque fois celui de Colombina ?

Mes narines frissonnent : une âcre senteur de saucisses oubliées sur un coin de barbecue vient me picoter les sinus. D'instinct, je dégaine mon composteur. La mort a plein d'odeurs, et je crois en renifler une. Mais un pistolet automatique est-il l'arme adéquate pour conjurer la mort ? Un goupillon, une tresse d'ail, voire un simple regret ne seraient-ils pas plus efficaces ?

Étrange, cette manie d'assimiler le danger à la mort alors que seule la vie est périlleuse ! Et tu vas voir illico l'à quel point : un empilage de tableaux s'embrase d'une seule bouffée ! L'haleine torride d'une lampe à souder vient me farder la gueule. Je me jette en arrière et largue en sommation une praline vers le plafond qui se trouve par advertance être à cet emplacement le ciel.

– Plus un geste ! hurlé-je.

Mon agresseur hésite. En proie à l'émotion, son napalm de poing tremblote.

– Qui êtes-vous ?

– Commissaire San-Antonio.

– Montrez-moi votre carte.

– D'accord, mais larguez votre fer à friser !

S'il n'a pas complètement auréolé son calebute, le soudeur a dû racheter les parts de la blanchisserie voisine. Il éteint son brûlot et le dépose par terre.

– Vous venez pour me tuer ? soupire-t-il.

– Pourquoi, je devrais ?

L'homme se laisse tomber à genoux.

– Donnez-moi une chance ! implore-t-il.

– Une chance de quoi ?

– De vivre.

– Si vous estimez que la vie est une chance, je ne vais pas briser un tel enthousiasme.

Je remise l'ami tu-tues entre ma ceinture et cette partie de mon anatomie qui fait tant fantasmer les mousmées. Soit dit en passant, le jour où elles admettront que les mâles les font goder autant que nous les femelles, plus aucune n'osera me surtaxer de machisme. Et c'est peut-être demain l'avant-veille, qui sait ?

Le soudeur-à-chaud me vote un regard de gratitude qui me va droit là où plus rien ne palpite. J'éprouve pour ce beau gosse d'une trentaine de piges la passion d'un congélateur envers des filets de merlan panés. Noir de poil, de peau et d'iris, il renifle le gigolo à pleins tubes, et je devine ses armes de séduction fourbues avant même d'avoir été fourbies.

– C'est vous, Pol Ange, le rapin ? questionné-je.

– En fait, je m'appelle Michel, une facétie de mes parents, mais Michel Ange, c'était pas facile à porter, pour un peintre.

– Je me mets à votre place et à celle de la chapelle Sixtine.

Je lui désigne son carnage pyromaniaque.

– Vous effacez le visage de Colombina de tous vos chromos : pourquoi ?

– Ben... comme son mari est en cavale, j'avais peur qu'il se méprenne...

– Par exemple : qu'en susse de la peindre à poil, il aille se figurer que vous la sautiez ?

Il se fend d'un sourire veule et bi-fluoré.

– Exact ! Les commérages, ça se cloportent...

Son rictus fond plus vite qu'un Miko magnum dans une soirée à Mykonos.

– Si c'est pas Pantaléon Buonamorte qui vous envoie, réalise-t-il, pourquoi êtes-vous ici ?

– Dénonciation anonyme. Les pires...

Le gigolpince lève ses mirettes qui s'arrondissent du fait de les avoir à zéro.

– Attention ! hurle-t-il.

Par réflexe, je rentre la tête dans les épaules, ce qui ne m'empêche pas d'essuyer un énorme coup de buis au point culminant du crâne. Je ne sais pas si tu piges ce que j'éprouve, toi l'aventurier de la porte de Passy, mais la douleur première d'un tel gnon te donne l'impression d'avoir surmonté l'épreuve. Tu te sens fort dans ta souffrance, prêt à défier le monde entier, puis à donner une conférence de presse sur CNN, à commander douze pastagas et à remettre une tournée pour les copains. Et puis tu t'effondres comme une merde molle, déconnecté des aléas du quotidien. Ce dont je.

Un nez vient me renifler. Une bouche m'abreuve d'exhalaisons étranges. Un nez ? Une bouche ? Un naseau, un museau ? Une truffle, une gueule ? Un groin, une hure... Les mots affluent à mon esprit pour décrire cette présence animale alors qu'ils me font défaut pour raconter le blanc intense qui m'enveloppe.

On dit que les Esquimaux ont un sens inouïte de la blancheur et qu'ils possèdent plus de vingt mots pour l'exprimer. Essaie un peu, Ducon, de raconter le blanc, surtout dans le coltard comme ma pomme !

« Moins blanc que blanc, ça doit être gris clair », disait notre vieux Coluche qui savait à l'occasion être noir. Mais répertorier les blancs, les classer, leur attribuer une épithète qui les déterminent à jamais, voilà un ouvrage inaccessible aux minables sudistes que nous sommes.

C'est pourtant la tâche que mon cervelet en capilotade s'est infligée ! Si je navigais sur la banquise, je crois que je pourrais voir le blanc pur, le blanc luisant, le blanc d'acier, le blanc cotonneux, le blanc fondant, le blanc diamant, le blanc crayeux, le blanc mouton, le blanc-manteau, le blanc-manger, le blanc-mesnil, Leblanc Maurice, le blanc public, le blanc de neige, de nuits mauvaises, le blanc de linge, le blanc de lis, la blancheur de la race, d'un boudin, d'un bulletin, de cette feuille de papier qui tant me turlupine, le blanc-seing, le blanc chenu, le blanc mariage, le blanc-bec, le blanc de Blancs, le blanc moelleux, le blanc Pouilly, le blanc Fuissé, bien solutré, et puis le blanc fumé... fumé, fumé, fumé ! Fumée !

Un râle s'évade de ma gargante.

Fumée !

J'aspire à grands poumons et ma tête chavire.

Fumée !

L'atelier est en brasier. Non loin de moi, feu Michel Ange se consume. On croirait un olivier torturé par un accidentel incendie volontaire de maquis.

Je tente de me redresser, mais mes guiboles

flageolent. Je retombe à genoux. Mes tempes tintent, frappées d'impitoyables jaquemarts. Me voici à plat ventre. La cage d'escalier se trouve à moins de deux pas, mais, sans jambes valides, peut-on accomplir des pas ? Une lassitude cousine de l'abandon m'envahit. Les flammes redoublent et me lèchent les pieds. Il suffirait de presque rien, une simple reptation, pour me soustraire à la fournaise. Pourtant, je me soumets au destin, accepte sa sentence. Depuis le temps que je flirtais avec la mort, il fallait bien qu'elle m'entourloupe. Tu le sais, je succombe toujours aux succubes persévérants. Sauf à Marie-Marie, peut-être ?

J'éclate de rire ! J'en aurais fini, béat, avec ce drôle de parcours du con battu qu'on appelle la vie, sans une infime morsure à ma pomme d'Adam. Je sursaute. A quoi ça peut tenir, la perpétuation d'un bipède ? A la terreur d'un minuscule hamster qui s'est logé dans ma chemise et m'invite à réintégrer mon statut d'héros intemporel !

– Reçu cinq sur cinq, Grimblat (c'est ainsi que je viens de baptiser mon hamster, pour des raisons que tu n'as pas à connaître). On va s'en sortir !

Je glisse la bestiole dans ma poche de veste et rampe de mon mieux vers l'escadrin. Pas question de s'y emmancher debout ! Alors je plonge tête en avant dans la cage.

Bababoum ! Patatras !

J'arrive en roulé-boulé contre la porte palière à l'instant où une hache la pourfend. A un rien près, elle me tranchait aussi la tronche.

Le casque et la trogne d'un pompier s'encastrent.

– Tout va bien, Monsieur ? demande le sapeur.

– Impec. Vous n'auriez pas une noisette ? C'est pour Grimblat.

Possible que je me sois révanoui.

Bisogna à rispettà u cane pè u patrone.

C'est pour son maître qu'il faut respecter le chien.

3
Deux infirmiers

papotent aux marges de mon inconscient.
L'un dit qu'il fallait bien en finir
avec cet enfoiré de Saddam.
L'autre rétorque que c'est pas parce qu'il est black,
mais ces bouffons d'Amerloks, pour qui qu'y se prennent ?

Si on avait laissé vieillir la Vierge Marie, je peux te raconter comment qu'elle serait aujourd'hui. Elle aurait un visage de Joconde étonnée de se voir au Louvre. Le temps aurait pris tout son temps avant de marquer sa peau de légères ridules. Ses cheveux mouvants et flous aurait acquis cette teinte mordargentée dont seul un dieu peut vous gratifier. Son regard brillerait d'une paisible candeur. Elle porterait une robe bleu sage sous un léger manteau de pluie. Elle inclinerait gentiment la tête vers son fils et lui dirait :

– Tu nous as fait peur, Antoine.

Une branlée d'heures s'écoulent avant que je me connecte franco avec l'existence du moment. Félicie me tient la main, paume contre paume, que l'énergie de son vieux corps se transmette bien au mien.

– J'ai vraiment failli y passer, m'man ? articulé-je faiblardement.

– Tu as inhalé beaucoup de monoxyde de carbone, mon petit, mais tu es solide. D'ici deux ou trois jours, tu seras sur pied.

Deux-trois jours ? Ça fait près d'un siècle, pour un impatient patenté de mon espèce ! Fur à mesure, je prends connaissance de mon environnement. Le goutte-à-goutte, bon d'accord, je suis à l'hosto, ce que je supprostituais[1]. Les lourds nuages noirasses à l'horizon de ma baie vitrée confirment que je persiste et signe en région parisienne. J'essaie de me remémorer le proche passé antérieur comme on rembobine à l'envers un vieux film en 8 millimètres.

---

1. Je trouve « supputer » trop vulgaire.

Je revois le pompier. Il était maigre et blond avec un accent du Nord, mais je n'en suis pas si sûr. Je déboule l'escalier. Les flammes me chauffent aux fesses. Un peintre se transforme en noir de fumée avec un talent insoupçonnable. On vient de m'assaisonner. Au restaurant, un maître d'hôtel pelliculeux m'avait filé cette adresse. Colombina, la femme de l'évadé, la fille du tableau...

– Marie-Marie ! Où est-elle ?

– Je n'ai aucune nouvelle, avoue ma Féloche, pas du genre à me beurrer la cantine même en une piaule clinicarde.

– On s'est quitté ce midi, juste avant l'incendie...

– Hier midi, rectifie ma brave femme de mère. Tu es resté près de vingt-quatre heures dans un semi-coma thérapeutique.

– Et Marie-Marie n'a pas donné signe de vie depuis ?

– Rien. Son portable ne répond pas. Vous vous êtes peut-être disputés, suggère ma chère vioque, connaissant son lardon au point de l'avoir engendré.

– Disputé, non... mais je lui posé un petit lapin.

– En parlant lapin, Antoinette est tombée folle amoureuse de ton hamster.

– Grimblat ! Il s'en est sorti ?

– Il se porte comme un charme. Ta fille l'a baptisé Taupin, une lubie de gamine. Elle est merveilleuse, ta fille.

– Le soir, ferme bien la porte.

– Bien sûr, ne t'inquiète pas.

– De vous savoir seules... Il n'y a pas longtemps, on a été victime d'un cambriolage.

– Un rôdeur qui a farfouillé, mais n'a rien pris.

– Surveille bien la petite !

– Ne te fais aucun souci. C'est madame Charretier qui la garde, tu sais, la veuve de notre voisin croque-mort.

– Charretier est décédé ?

– On était tous les deux à son enterrement, souviens-toi.

– Les croque-morts vont à des tas d'enterrements qui ne sont pas forcément les leurs...

Maman frôle mon front avec la douceur d'une feuille d'automne planant sur une eau dormante.

– Tu as encore un peu de fièvre, mon chéri. Dors.

Black-out !

Et puis ce sont les rois Mages qui se penchent sur ma vivace dépouille. Melchior, Gaspard et Balthazar. Le jeunot, le jaunasse et Lajaunie (roi du cachou). Le fringant, le fripé, le frisotté. Antoine, Pinuche et Jérémie Blanc.

A leur frime je pige qu'ils ne sont pas là pour m'annoncer l'avenue de Messine, mais une envianderie de première bourre. C'est Melchior-Toinet qui se décide à jacter :

– Papa, y a un problème.

– Je vais clamser ?

– Non, non, ta santé pète le feu ! Mais l'I.G.S. est sur le coup.

– Les bœuf-carottes ?

– Un capitaine veut te parler. Cependant, le médecin est d'accord pour s'opposer à sa visite.

Je t'ai déjà informé au cours de nos voyages au long cours – tout du long de nos délirades au con lourd – de la façon dont j'aimais pas qu'on me traite. Depuis quand un toubib déciderait-il à ma place ? Même pour m'amputer d'un kilomètre de tuyauterie, faudrait qu'il me demande poliment mon avis ! Hors de question qu'un interne de mes deux récuse l'un de mes collègues de l'extérieur sous prétexte que des vapes m'embrument le ciboulot. Je suis et serai toujours le San-A de service, le mec qui remplace la moutarde, le henné et la vaseline dans les grandes occlusions.

– Faites entrer ce capitaine Dewessau.

– Comment sais-tu qu'il s'appelle Dewessau ? estomaque Pinaud en se roulant une crotte de nez tabagique dans une feuille de Riz-la-Croix.

– Parce que je viens de le décider.

– Ça doit être bien d'écrire ! opine-t-il d'un menton décharné duquel perle une rosée de gâtisme.

– En fin de page, oui, mais projette-toi au sommet de la suivante et tu découvriras le vertige de la création, les affres des mots à venir, la parturition d'une idée qui se présente par le siège, ou l'œuf clair de la pensée.

Moins sympathiques que Dewessau, lequel se prénomme définitivement Anselme, il n'existe que les mecs vraiment antipathiques. Il est tant anguleux que son père foutrait avec une serpette et que sa mère s'était fait greffer une enclume en guise de matrice.

– Monsieur San-Antonio, bille-en-tête-t-il sans m'attribuer mon vénéré titre de commissaire, considérez-vous en état d'arrestation.

– Pour quel chef ? intervient Mister Blanc (Jérémie, devenu Balthazar dans mon délire très émincé).

Anselme Dewessau débite une litanie longuement remuglée.

– « Violation de domicile, assassinat, suivi d'incendie volontaire, et je passe les broutilles. »

– Vous déconnez ? s'exclaffe mon fils Toinet.

– Mesurez votre langage, jeune homme !

– Je vais mesurer ta tronche de cake, connard !

La Pine et Blanche-Neige ceinturent Antoine juste avant qu'il ne précuise le bœuf-carottes.

– On se calme ! lancé-je de ce ton de vieux sage indien qui te laissait accroire dans tes enfances que les blancs étaient déjà plus mauvais que les bronzés, ce qui n'a jamais été prouvé ni infirmé.

– Je vous écoute, Capitaine, concilié-je au-cul-monique du Vatican.

– Monsieur San-Antonio...

– Commissaire !

– Soit !... Commissaire San-Antonio, le peintre Michel Ange a été retrouvé mort à son domicile, tué d'une balle dans la nuque avec votre arme de service. Son corps a été aspergé d'essence et brûlé vif...

– Il était mort ou il était vif ? se manifeste à nouveau mon fiston.

– Disons que mortellement blessé et encore vivant, on l'a arrosé d'hydrocarbure et on l'a immolé. San-Anton... Commissaire, reconnaissez-vous les faits ?

– En partie : je me trouvais chez Michel Ange pour les besoins d'une enquête.

– Mauvaise initiative ! ricane le bœuf-en-daube. Ce type était sous étroite surveillance. La B.A.T. – brigade antiterroriste – savait qu'il était l'amant de Colombina Buonamorte. Elle avait établi une souricière chez lui dans l'espoir de coincer Pantaléon Buonamorte et de remonter jusqu'à Situcci Paoli, le sanglant indépendantiste qui a orchestré son évasion. Vous avez tout fait foirer, San-Antonio !

– Attendez ! J'ai été matraqué, on m'a piqué

mon arme, on a tué le peintre avec, on a mis le feu à son atelier... Quelqu'un a dû entrer juste derrière moi !

– Personne ! Deux officiers de toute confiance planquaient devant chez Ange.

– Alors l'assassin était déjà dans la place et il s'est barré après le crime.

– Impossible. L'entrée n'a jamais cessé d'être sous contrôle de la B.A.T., avant comme après votre venue. Tout a été filmé. Nous produirons les cassettes à l'audience.

– Voyons, m'angoissé-je, ce petit immeuble comporte peut-être une seconde issue ?

– Vous prenez vos collègues pour des branques ? Pas de double accès, aucun sous-sol communiquant ! Vous vous trouviez seul avec la victime quand on l'a occise ! Conclusion ?

– Mon père a été intoxiqué ! Il a failli y passer ! proteste mon Toinet.

– N'empêche qu'il s'en est tiré sans trop de bobos, persiffle le gusman de l'I.G.S. Et il est bien vivant. Que faisiez-vous chez ce peintre, à l'heure précise de sa mort, Monsieur... le futur ex-commissaire ?

– J'avais reçu des messages sur mon portable...

– Ils ont dû être effacés...

– On retrouvera au moins l'origine des appels !

– C'est fait : ils provenaient tous de chez Michel Ange. Ce type vous a appelé, vous vous êtes rendu chez lui, et pour une raison qui nous est encore inconnue, vous l'avez flingué avant de pratiquer un étrange holocauste. Que cherchiez-vous à dissimuler, San-Antonio ? Des preuves de votre corruption ? Comme par hasard, c'est votre fils qui a décidé du transfert de Pantaléon, un redoutable prisonnier. Pourquoi votre gamin disposait-il d'un tel pouvoir ?

– Je lui avais confié les rênes, pour l'aguerrir. Mais il était encadré par trois policiers d'élite...

– Je n'ignore rien, grasseye le type avec sa morgue morveuse : Alexandre-Benoît Bérurier, qu'il s'est empressé d'envoyer comme mouton expiatoire auprès de Pantaléon : disparu corps et bien ! César Pinaud, ici présent, réintégré dans vos services alors qu'il est à peine valide pour l'hospice ; et Jérémie Blanc, ex-ministre sénégalais démis avec perte et fracas, qui n'a encore pas recouvré l'intégralité de ses droits français. Vous parlez d'un encadrement !

Comme je bondis pour l'étriper, mes trois tendres acolytes me jugulent.

– Laisse tomber, papa ! laisse tomber Toinet. Il a le pouvoir pour lui, ce gland !

– En effet, ponctue l'Ignoble Gros Salopard (d'où le sigle I.G.S.), sitôt que le médecin responsable de ce service vous jugera apte à vous mouvoir, Monsieur San-Antonio, un juge d'instruction vous signifiera votre mandat de dépôt. Et croyez-moi, on ne vous fera pas de cadeaux ! Les ripoux, y en a marre, dans la police nationale, et vous en êtes le prototype !

Exaspéré par ce type de pro, mon fils s'esbigne et... je lui cède derechef le clavier universel :

Traiter mon père de la sorte ! Si je n'étais pas flic, je crois que je pourrais tuer ! Seulement, la génétique me rappelle que mes parents biologiques étaient des criminels et que, sans mon père de père, mon plus que père, celui qui m'a aimé et que j'aimerai pour toujours, je serais resté dans la fange. Peut-être que je cavalerais avec les dealeurs que j'arrête aujourd'hui ? Possible que je dirigerais un peep-show avec des salopes qui s'enfournent des concombres dans le cul pour l'assouvibêtissement des gogos, alors que c'est si bon sans vinaigrette, le cul.

Je fonce vers la salle des infirmières, déserte, à cette heure de thermomètres dans le fion, gonflette de la tension et pilulage de moribonds.

Une blouse et un masque antisyndrome des crachoteurs d'Extrême-Orient me vont comme un gant. Pas trape non plus de craquoter le cadenas de l'armoire à pharmacie pour y prélever une seringue et l'ampoule de mes rêves, le sirop de délire intégral.

J'empare un chariot surchargé de tampons de bétadine chiasseux, de pansements merchurochromés ragneux et de gazes purulentes, pardon si t'es à table, mais tu n'as pas à me lire entre les dents.

J'avale les couloirs en direction de la chambre de papa. Pile poil, v'là que je tombe sur Anselme Dewessau qui s'en alle, le sens du devoir bœuf-carotène accompli.

Mine de rien, en le croisant, je lui plante ma seringue dans le plus épais de son homo plate.

– Hierk ! qu'il fait en se gratouillant l'épaule.

Puis il se dandine, se contortionne et s'écroule

sans cesser de s'agiter au sol comme un raveur dans un champ de raves.

Un interne passe par hasard.

– Épilepsie ? qu'il me demande.

– Pire, le S.R.A.S. ! Faut le transporter d'urgence à l'hôpital Marmouset. Quarante jours de quarantaine. C'est le tarif !

Lorsque je suis retourné à la chambre de mon dabe, il s'était déjà barré, le mariole. J'avais fomenté tout ce bintz pour de rien. M'enfin, c'est l'intention qui compte, pas vrai ?

U mundu è fattu à scala :
à chi colla e à chi fala.

Le monde est un escalier :
certains le montent, d'autres le descendent.

4

Au bistro

du coin, je suis assis face à un écran géant
qui ne m'épargne rien des bombardements sur Bagdad.
Le reste de la clientèle est tourné vers moi, dos à la téloche,
regard braqué sur le moniteur du Loto Rapido.
Ah, mes petits Moslems de quartier,
vous n'êtes pas sortis de l'auberge
tant que la Française des Jeux vous servira de mosquée !

Je paie mon caoua et me dirige vers une baraque qui, selon mes pronostics, doit constituer le pendant de l'atelier de Michel Ange sur la ruelle arrière. Je presse douze fois la sonnette avant qu'on daigne déponner la lourde. Une femme s'encadre, juste habillée de sa main gauche devant la foufoune. Elle a le sein poiré, la hanche violoncelline et le ventre plat et lisse comme la Beauce quand on l'aura transformée en tarmac d'aéroport.

Le caramel de sa peau doit plus à la génétique caraïbe qu'aux ardeurs du soleil et le vert de ses yeux s'est dilué dans la route du rhum et la fumette d'herbe à rêve.

La môme rassemble en gerbe sa crinière décrêpée.

– Et merde ! ronchonne-t-elle, pour une fois qu'il allait me faire jouir, ce con... Vous venez pour quoi, au juste ?

– Pour vous finir, Madame !

Manière d'étayer mon assertion, je lui débale Popaul en grand uniforme d'apparat, frétillant sur ses ergots, casque luisant, briqué...

– Je croyais que ça n'arrivait que dans les contes de Noël, émerveille la gueuse.

– Ainsi que dans les San-Antonio ! Il faut lire ses classiques, ma belle : Il était une fois, tu vas lever une patte et me laisser faire le reste...

Sais pas ce qui me prend, mais je l'englande toute deboute, jusqu'à la garde et michard. Trois va-et-vient à la va-comme-je-le-pousse, et l'Antillaise s'afflue en pâmoison. Son panard s'authentifie d'une mouillette forcenée qui m'inonde le bénouse et mes mocassins tout neufs. Ce genre de femmes-cascades, t'as intérêt à les tringler avec un ciré de terre-neuva et des cuissardes d'égoutier.

– Je vous l'avais dit, que j'étais pas loin ! s'excuse la fille. Attendez...

Elle s'agenouille pour se faire pardonner tant de fugacité, mais je l'oblige à se relever.

– Non, non, laissez ! Pareille bandaison pourrait encore secourir d'autres chattes en péril.

– Elles sont légion, dans le quartier, avec les couilles molles d'aujourd'hui. Venez-voir...

On grimpe un escalier conduisant à une chambre mansardée, guillerette comme un pensionnat mormon. Sur un pucier à la literie douteuse, un gringalet vaguement rebeu somnole. Ses côtes saillantes lui tiennent lieu de musculature et sur son crâne, une espèce de bouse tressée à la façon des rastas lui tient lieu de mental. Sur son ventre hâve (comme Martin), sa biroute s'est repliée sur des positions chenillesques. Elle ressemble à ces larves de hannetons que mon père traquait sur les plants de pommes de terre. D'un coup de bêche il les fendait en deux. Tiaf ! Même si j'étais jeunâbre, l'humeur verdâtre qui s'écoulait de ces boudinets blancs suppliciés me débectait et me répugne encore. Je revois aussi la mine réjouie de mon dabe, mais j'ai oublié ce juron de bonheur qu'il proférait en patois savoisien, tel un prostatique se délivrant l'urinaire.

– Regardez-le ! Il roupille déjà. Je sais pas pourquoi je reste avec lui.

– Pour tromper la solitude ? supposé-je. Ou parce qu'il rapporte trois balles à la maison ?

– Trois balles, tu parles, rigole la fille. Sa cicatrice sur le ventre, il fait avaler à tous ses potes que les keufs l'ont plombé ! Moi, je sais que c'est une appendicite qu'a tourné vinaigre. Il a failli canner. Maintenant, les locdus on les aide à survivre ! Le progrès, des fois, j'me demande si ça vaut mieux qu' la sélection naturelle.

Elle crache en direction de son julot, un petit glave haineux qui lui vaseline le bout du nœud. Sans l'éveiller.

– Un mec qui lime et qui s'endort, c'est pire qu'un mort.

Elle m'attire à nouveau contre son corps maure doré.

– Je sens que ça remonte, là ! On pourrait pas

baiser à côté de lui comme des brutes, voir s'y se réveille ?

Je la repousse gentiment.

– Faut pas confondre dépannage et service après ventre. En fait, j'avais quelques questions à vous poser, heu... c'est quoi, déjà, vot' petit nom ?

– On m'appelle Scarlett, mais Viviane, ça suffira entre nous.

Elle attrape un peignoir et s'en drape, frappée d'une soudaine pudibondieuserie.

– Pourquoi faut-il que les mecs qui me plaisent soyent toujours de passage ?

Je lui caresse délicateusement le col.

– Un jour, un beau migrateur s'arrêtera, mais il faudra savoir le reconnaître ni à son plumage, ni à son ramage.

Les filles, quand on revisite La Fontaine avec les accents de Lamartine, deviennent aussitôt plus tendres qu'un veau de lait sous la mère.

Elle me dégoise ce que je redoutais d'entendre, à savoir que sa cagna ne communique pas avec celle du peintre. Ni caves, ni toitures se rejoignant, ni fenêtres en correspondance. Elle a appris le sinistre d'hier par le boulanger, c'est tout dire. Encore heureux qu'il ait pu être circoncis à temps, l'incendie, bien sûr, pas le boulanger, même s'il réussit le pain azyme !

J'insiste sans entamer sa certitude : aucune des bâtisses du quartier ne possède de double issue. Elle le sait pour avoir fait du baby-sitting et du papy-sucing dans tout le secteur depuis belles burettes.

Je la quitte d'un bécot sur la fontanelle. Elle me regarde partir avec la désespérance de Robinson voyant s'éloigner le *Club Med One* malgré ses signaux de fumée.

Dans la venelle, je retrouve Pinaud qui a tenu à m'accompagner au sortir impromptu de l'hôpital.

– Pas d'entrée secrète, lui soufflé-je. Si personne n'est entré avant moi ni sorti après moi, c'est un crime en vase clos et j'ai buté le peintre.

Pinochet rajuste son cache-col, car une bise mesquine siffle et la fragilité de ses bronchioles n'est pas une légende.

– Tu penses vraiment ce que tu dis, Antoine ?

– Non ! Mais c'est ce qu'un juge d'instruction sera bien obligé de conclure.

– Pas sûr ! fait-il, énigmatique.

– Tu as découvert quelque chose ?

Son doigt de squelette encore emmailloté de parchemin désigne la grue d'un chantier situé à quelques encablures.

– L'engin paraît lointain, mais je te parie que sa flèche peut venir se positionner juste au-dessus de la verrière ouverte du peintre.

A vue de naze, j'évalue la distance et admet le bien-fondé du calcul.

– Peut-être, mais un peu compliqué, non ? Pour introduire un type chez Michel Ange, il en fallait un second aux manettes...

Le bon César lisse les trois derniers poils follets de sa moustache.

– Erreur ! Du temps de ma splendeur boursière, j'avais racheté une filiale de Bouygues B.T.P. et je connais bien ce modèle de grue : on peut le télécommander depuis le godet. Donc, un homme seul pouvait agir.

– Pas très discret, quand même, comme moyen de locomotion.

– Détrompe-toi, c'est silencieux, une grue. Et puis, les gens ne se baladent pas le nez en l'air. Je me suis renseigné : le chantier ne fonctionne que de temps en temps ; la société de construction est en difficulté. Viens voir sur place !

Nos pas nous acheminent jusqu'à une palissade taguée de dessins obscènes non dénués d'une certaine arrogance artistique. Nous la franchissons par une porte de tôle ondulée et patouillons dans la gadoue en direction de la tour Eiffel naine.

Première constatation : relié par son câble à la flèche de la grue, le godet n'est pas suspendu, mais repose sur le sol. Le détail n'échappe pas à la sagacité de mon Lapinaud. Il se penche sur la nacelle de ferraille et me montre un boîtier noir, genre console de jeu vidéo.

– Voici la télécommande. Tu peux l'attraper ?

D'une traction de gymnaste sur le cheval d'arçon, je soulève ce corps qui obsède vos nuitées, plie mes jambes à l'équerre et me laisse couler en souplesse dans le godet. J'empare le bitoniau et presse un bouton au hasard. Le filin se tend et la nasse soubresaute.

– Tu as pigé la simplicité de la manœuvre ? jubile le Vénérable. L'assassin s'est introduit, puis enfui par ce procédé. Je vais t'expliquer ce qui s'est passé, mon petit. Je te rappelle que Pantaléon Buanomorte s'est évadé la semaine dernière. Tueur corse, cofondateur de la société secrète « L'Écume de Mer », il a pris la poudre d'escampette en compagnie de notre bon Béru que nous avions installé dans sa cellule.

– J'apprécie le « nous », quand tu pouvais dire « Toinet »...

– On était solidaires. Alexandre s'est porté volontaire. Jérémie et moi avons soutenu cette intiative. On assumera jusqu'au bout.

– Merci, vieux Pinocchio, mais où est le rapport avec cette grue au bas de laquelle nous faisons le pied du même nom ?

– J'allais y venir.

– Alors, viens-y !

Le Débris Patenté déniche un mégot gluant comme une limace au fin fond de ses fouilles, et tente de l'allumer en battant son briquet précolombien, cadeau à son oncle d'un G.I. parachuté sur Sainte-Mère-Église en 44 pour se faire pardonner par avance toutes les futures conneries de son pays.

Une brindille de bacchante s'enflamme avant

la clope et Pinuche, se tapotant la lèvre supérieure, enraye le sinistre.

– T'accouches, oui ? l'exhorté-je.

– Voilà, c'est très simple : condamné à vingt ans de taule, Pantaléon purgeait sa huitième année lorsqu'il s'est fait la paire. Pour tromper l'attente, Colombina, sa légitime, s'était maquée avec Michel Ange, dit Pol Ange, peintre clichyssois, dont elle semblait apprécier le coup de pinceau.

– L'évasion du Corsico a semé la panique dans le couple, poursuis-je, un caïd de ce calibre ne pouvant laisser son cocufiage impuni. Colombina s'est évaporée dans la nature tandis que le pisseur de toiles se terrait comme un cloporte dans son atelier. Se gaffant qu'une souricière était tendue par les poulets, Pantaléon et ses sbires ont imaginé le coup de la grue pour s'introduire en doucedé chez le barbouilleur. Jusque-là, ça colle. Mais pourquoi tant de cinoche ? Une bastos tirée depuis le godet par la verrière ouverte, et le tour était joué en toute discrétion.

La vieillasse tente à nouveau d'allumer sa cibiche poisseuse. Comme il a réglé son briquet trop fort, le mégot s'enflamme en torche, des escarbilles s'en échappent et vont piqueter le plastron de sa limouille immaculée.

– Zut ! Ma dernière chemise de soie ! Je l'avais achetée sur la Cinquième Avenue, du temps que je sévissais à Wall Street. Les Tours étaient encore debout. A propos, il faut que je te raconte une anecdote croustillante. Une *golden girl* portoricaine s'était amourachée de moi...

Face à mon horripilance, il s'époussette et en revient au sujet du jour.

– Bref ! A mon avis, Buonamorte a voulu te faire porter le borsalino pour l'immolation du peintre.

– Pour quelle raison ? Je ne le connais pas, ce cador. Je n'ai été mêlé en rien à son arrestation !

– Et Situcci Paoli, jamais eu de problèmes avec lui ?

– Comme tout le monde, je sais qu'il est l'un des plus dangereux activistes d'*A Cunculca, vitrine illégale du F.L.Co.N. canal hystérique*, mais ça s'arrête là.

– Doit y avoir un machin qui t'échappe...

– Ce qui m'échappe, surtout, c'est la raison

pour laquelle, selon le capitaine Dewessau, les appels sur mon portable émanaient tous de chez Ange, la victime.

– Un bidouillage de lignes ? propose Pinaud. De nos jours, avec les nouvelles technologies, on arrive à tout.

Je ne l'ouïe plus, car un autre de mes sens mobilise toute mon acuité. Sur la télécommande noire de la grue, je viens de remarquer de petites particules blanches. On dirait de la craie émiettée, mais, à y regarder de plus près, ce sont des pellicules, les squames dégueulasses d'un crâne en déconfiture. Je ne mot dis.

Alors que nous arrivons à la station de taxis de la porte de Clichy, je tombe sur la môme Viviane, deux valises à la main.

– Vous m'avez donné le courage de le faire ! me dit-elle à titre de justification.

Et là, brave grognard de lecteur, je reste inter... comment ? Loqué, c'est ça ! Pas que la mulâtresse se soit décidé à larguer son minable, mais devant le camée épinglé au revers de son imperméable. Un camée de Pompéi représentant le meilleur profil gauche de Sainte-Foutraille aspergée par la lave. Celui que j'ai offert à Marie-Marie. Se pourrait-ce-t-il-tu qu'il en existasse deux en cette proche banlieue nord de Parigi ?

– Où avez-vous eu ce bijou ? questionné-je, émulsionné du bulbe.

– Ah, merde ! soupire la fille. Vous n'allez pas m'accuser de l'avoir volé ?

– Je vous demande seulement d'où il provient ?

Viviane dégrafe le camée et me le tend.

– Tenez ! Portez-le rue des Morillons. D'accord, j'ai vu la jeune femme le paumer juste devant chez moi. Je l'ai ramassé et j'ai rien dit. Pour une fois que j'avais du bol...

– C'était quand ?

– Avant-hier, je crois.

– Juste avant l'incendie chez votre voisin ?

– Ça doit être ça, oui.

– Elle était comment, la femme ? la harcelé-je.

– Me tarabustez pas ! Je l'ai pas volé, et pis j'vous l'ai rendu... Vous êtes flic, hein ? Ça se voit à votre collègue.

Pinochet m'a chopé le médaillon et le détaille à l'aide d'une loupe de joaillier qui ne le quitte plus depuis l'époque où notre chère loque se prenait pour Holmes[1].

Je tire de mes vagues l'un de ces immortels petits calepins dont on a débusqué une pleine malle au grenier après la mort de Papa. Ils me servent de blocs-notes, de pense-bêtes, et Dieu sait qu'il gamberge le bestiau ! En deux coups de crayon, je trace un portrait de Marie-Marie et le plante sous le blair de l'Antillaise.

– Oui, c'était bien cette nana. Elle avait l'air rupin, je me suis dit qu'un p'tit bijou de plus ou de moins, ça gênerait pas ses fins de mois.

– Elle était seule ?

– Il me semble.

– Je veux dire : seule dans votre rue ?

– Attendez... Un type marchait devant elle en direction du chantier. J'ai même pensé qu'elle le suivait. Un grand mec chauve...

– Avec un cou tout mou, genre Balladur jeune ?

– Je savais pas que Balladur avait été jeune.

Je graffite rapidos sur le carnet une caricature du maître d'hôtel pelé.

---

1. Rappelle-toi, Barbara, de l'inoubliable *Salut, mon pope !*

– Tout à fait lui ! s'extasie Viviane. Vous êtes doué !

Je tiendrais-t-il pas enfin une amorce de chaude piste ?

– Ton avis ? demandé-je à Pinaud.

– C'est un faux ! déclare-t-il, perdu dans sa consultation bijoutière. On croirait un camée de Pompéi, mais c'est du synthétique. Le type qui te l'a fourgué t'a pris pour un cave, Antoine, je suis au regret de te le dire.

La fille des îles me sourit.

– S'il est bidon, je peux le garder ? Je suis habituée au toc.

Un serveur pédé comme un foc par vent arrière s'affaire à dresser les tables. Tu vas me faire remarquer qu'il y a toujours une tarlouze de service dans mes bouquins. J'admets, tu sais pourquoi ? Parce qu'il y a vraiment beaucoup de pédoques en notre bas monde. Je sais plus la proportion exacte par tête de pipe, mais t'en resterais sur le rond ! Et dans le fondement de ta pensée, t'en con-cul quoi ? Que la société part en couilles ou qu'elle s'assume ? Je te pose même pas la question, tante je crains la réponse.

Décoloré par mèches fofolles, un suçon de

rimel sur ses ramasse-miettes de biche, percing probable dans la peau des roustons, on jurerait un lofteur qu'a pas tout essayé.

– Chuis pas encore ouvert ! minaude-t-il.

– Et le restaurant ?

– C'est pour une réservation ?

– Pour une information.

Sac-à-pipes passe une langue humide sur ses labiales gercées.

– Fallait le dire tout de chuite.

– J'aurais pu aussi t'envoyer un carton gravé, mais j'étais pressé. Qui était de service, dimanche ?

Le garçon cesse son ouvrage et m'alloue un sourire empli de compassion.

– Voyons... depuis la mort du patron, le « Pigeon Truffier » est fermé chamedi, dimanche et lundi.

– J'ai bouffé ici dimanche midi ! m'emporté-je.

– Impochible. Ch'était un autre jour, ou dans un autre restaurant.

Je sors mon calepin et lui fais miroiter le crayonné du Squameux.

– Cet homme, vous le connaissez ?

– M'sieur Culpa, notre boss. Joli coup de crayon !

– Vous venez de me dire qu'il était mort !

– Ben oui, il y a un mois, d'un cancer foudroyant !

– Pourtant, je lui ai parlé il y a deux jours, ici- même ! Et d'autres personnes l'ont vu aussi...

– Cha arrive, les confusions. Moi, certains matins, je me réveille à côté de quelqu'un que je connais même pas. Y va se raser, et puis y se casse.

Entraves-tu mon abasourdance ? Crâne-pourri nous sert Marie-Marie et moi dans ce restau soi-disant bouclé, il m'annonce le décès un mois auparavant de son patron et ce patron, c'est lui ! De quoi se becqueter la rate aux petits oignons, pas vrai ?

– Il n'avait pas de jumeau, pas de sosie ?

– Non, non ! Armand Culpa était une pièce unique. Et heureusement ! Monté comme il était, s'ils s'y étaient mis à deux, bonjour les dégâts. Déjà que je me suis fait cercler chuite à des vacances aux Seychelles...

– Vous êtes bien sûr de sa mort ?

– C'te bonne blague : j'étais en Corse à ses zobs secs.

Lorsque je rejoins Pinuche, son revers est en feu. Mon souffle surpuissant conjure la catastrophe.

– J'arrive même plus à fumer, larmoie-t-il. Tu crois que je deviens gâteux ?

– Tu es bien trop vieux pour ça !

Il remise son redoutable briquet.

– Tu as appris quelque chose d'intéressant ?

– De troublant ! Tu vas regagner la Cabane Bambou. Il faut reprendre l'affaire de zéro en privilégiant la piste de la grue. Et retrouver Marie-Marie !

– Et toi ?

– Moi, je vais essayer de sauver Béru.

– Sois prudent, les bœuf-carottes ne te lâcheront pas !

Je l'attrape, fagotin d'existence oublié par le temps, et le serre dans mes bras.

– César, je tiens à ce que mon fils dirige personnellement cette enquête.

Un as de pique cigogne le cou du Fossile.

– Et si Toinet était amené à t'arrêter ?

– Qu'il fasse son métier jusqu'au bout.

Acte II

MATEO FAIT LE CON

d'après Mrosper Périmée

Ancu l'onori so castichi.

Mêmes les honneurs sont des châtiments.

5

La radio

d'bord m'réveille en suçon.
De tribord, de babord ou de bordel, j'sais pu,
mais ça cause d'l'Irak dans le poste.
Les Mcdos s'occupent d'pilonner la populace
et les Rosbifs des champs d'pétrole. N'importe quoi !
Comme si l'pétrole ça poussait dans les champs !

– Coupe les infos, Toni, et branche-toi sur la fréquence de la gendarmerie maritime ! ordonna Paoli au pilote de la vedette.

– A cette distance, on les captera pas, objecta le capitaine en rajustant sa casquette.

Situcci Paoli n'avait jamais toléré la moindre contestation. Dans son esprit sommaire, l'ascendant d'un chef tenait moins à sa force qu'à sa capacité de l'exercer à tout instant. Une arme de petit calibre fleurit dans sa poigne. Il l'appliqua contre le temporal de Toni et pressa la détente. L'homme émit un cri de mauvaise surprise et s'affaissa en tentant de se raccrocher à sa barre. Son corps vibra longuement avant de laisser la vie le quitter à regret. Il expira dans un spasme modique sans que Doumé Chestufoula, son second, manifestât la moindre compassion.

Situcci parut satisfait. Il possédait un visage asymétrique avec un œil plus haut que l'autre, un coin de la bouche tombant d'un côté et une cicatrice violine sur l'autre joue. Imberbe, sans cils, le corps glabre, toute sa pilosité consistait en une queue de cheval noir cirage assemblée sur la nuque par un rouge caoutchouc de pot de confiture chipé à sa vénérée grand-mère. Dans son regard vairon, l'œil clair séduisait parfois, le sombre condamnait toujours.

– A ton avis, Doumé, pourquoi Toni est-il mort ?

L'autre eut une moue circonflexe et circonspecte.

– Il t'a manqué de respect.

– *Esattu !* Mais une bonne correction aurait alors suffi...

– Peut-être qu'il était trop recherché, en ce moment ?

– *Veru !* Pourtant, on aurait pu le planquer, comme Pantaléon...

– Une raison de famille, peut-être ?

– *Ghjustu !* Tu es malin toi. Son demi-oncle a tué mon ex-beau-frère il y a onze ans. Il s'est excusé plusieurs fois. Plusieurs fois j'ai pardonné. Mais, avec le temps, ce genre d'affront devient insupportable.

Doumé Chestufoula approuva sobrement. Dans son for, il se jura de trucider un jour Situcci de sa propre main. Pas parce qu'il venait d'exécuter son ami Toni, mais parce que l'ex-beau-frère de Situcci avait jadis manqué de respect à sa cousine Laetitia dont il était follement amoureux bien qu'elle fût d'une demi-génération son aînée. Il se toucha entre les jambes à l'évocation de cette fille souillée qui, depuis, tapinait sur le port de Calvi, à la belle saison, spécialisée dans le plaisancier au foc tombant.

Situcci s'agenouilla devant le cadavre et ramassa la casquette de Toni. Il en coiffa Doumé.

– Tu es tout jeune, mais tu mérites le commandement de ce bateau, fit-il en pensant très intensément : « J'ai besoin de toi, petite face de con, mais à la première occasion, je te ferai sauter le carafon, toi dont la cousine a porté plainte contre mon ex-beau-frère et sali son honneur à jamais. »

Il retourna le macchabée du bout du pied.

– Regarde ! Il saigne à peine. L'avantage du bon vieux 6,35 : pas de dommages collatéraux. Balance le corps aux rascasses, sans oublier de réciter une prière ! Ce qu'on retrouvera dc sa viande, après le passage des chapons[1] laissera encore à picorer aux poulets du continent. Moi, je m'en vais réveiller Pantaléon et son *grassu porcu.*

Comment qu'il a dit ? *Grosso porco* ? j'cause pas bien le corsico, mais j'ai l'impression qu'c'est d'moi qu'il s'agite !

Queue-de-cheval fait érection dans la mini-cabine. Je feignasse d'roupiller z'encore. On peut pas dire qu'j'aye la cote, a'ec ce fumaga. D'puis l'départ, il a r'niflé qu'j'étais de la volaille. L'Pantalon, lui, l'est plus dubite-hâtif. Y s'demande pourquoi les flics, ne sachiant pas qu'il allait se faire la malle, l'aurait flanqué d'un mouton

1. Genre de mérou corse qui pète quand on l'écaille.

l'temps du transfert. Et pis y m'trouve sympa, ce dont j'lui réciproque, zobnostant l'fesse qu'il se soive plus souvent lavé les pognes dans l'raisiné qu'dans l'eau d'source.

J' leur ai bonni tout l'enculum vicié qu' Toinet m'avait efforcé d'apprendre sur l'bout des oncles : de mon nom, j'm'apelle maint'nant Alexandre-Benoît Béranger, né à Saint-Landru-le-Veuf, dans la Meurthe-et-Gironde. D'métier professionnel, j'sus r'présentant en lingerie fine. Pas les calbutes et sous-tifs ordinaires de la mégère d'moins d'cinquante ans, non, le sex plus extra d'la luxuriance, la dentelle surchoix pour les rombières thunées qui offrent leur cellulite dans un paquet cadeau. Chantal Homasse, Zobade, la Perlouze : je f'sais toutes les grandes maques de prêt-à-fourrer. Jusque z'au jour que j'ai eu la malenculeuse lubie d'me marier a'ec une collègue frêle et moulue. Elle m'a épousé au vusse d'mon chiff' d'affaires, mais sans avoir tâté le molosse. Si bien qu'la nuit des épousailles, quand j'y ai déballé Nestor, elle a pris les pétoches et s'est barricadée dans les cagoinsses. Moi, j'l'entendais pas d'cet oreiller. J'voulais exorciser mon devoir conjugable. Alors j'ai défoncé la porte des chiottes, d'abord, puis son prose de sauterelle, ensuite. Manque de bol, j' y ai fait péter la charnière et elle a fini à l'hosto. Elle a porté plainte pour viol, la salope ! V'v'rendez compte ? Moi, j'pensais qu'une gonzesse marida ça d'vait écarter les guiboles et boucler sa gueule. Faut croire que non, vu qu'j'ai morflé trois piges dont deux à la ferme ! L'énormité d'mon paf a été considérée par la jugesse comme une circonstance exténuante.

Évidemment, M'sieur Situcci a ramené sa fraise comme quoi je racontais des vannes. Mais quand j'ai allongé la bête sur la table et qu'on l'a mesurée : trente-six centimètres – au repos, naturliche – on était entre hommes, il a admis qu'ça tenait la route, mais qu'y faudrait quand même vérifier. Restait l'maillon faible d'mon historiette : l'pourquoi qu'on m'transbordait en Corse, moi, minab' délinquant de l'amère patrie ? J'm'en ai pas trop mal tiré en prétestant qu'j'avais réclamé d'être envoyé près d'ma famille à Bordeaux. L'greffier avait noté Borgo, et l'administration française a rien voulu savoir. Ça leur plaît toujours, aux insuliniens, l'couplet cont' la République oppressière.

Brèfle, on a embarqué en début d'aprème d'puis un port des babouches-du-Rhône, Curry-le-Rouergue, pour êt' précis, à bord d'un promène-couillons équipé d'cannes grosses comme mon bras et p't'ête même comme mon zob. 'Ficellement, on est partis à la pêche au thon et aut' poiscailles qu'on s'emmerde à les capturer en mer alors qu'on les trouve à l'huile ou à la tomate dans des boîtes en fer blanc ! 'Ficieusement, on traçait vers Corsica land.

Pantalon et mézigue, on s'trouve confits dans une cabine cercueil planquée sous le coffre à glace, où c'qu'on somnole avec de l'air en bouteille pour toute nourriture terrest'. C't'édifiquant d'regarder dormir un homme. N'en faite, d'puis mon service militaire, j'ai jamais pieuté avec un mec, à part San-A et Pinuche dans des occases gravissimes, et j'm'assoupais toujours en premier, étant d'nature péquenaude. C't'affreux, le sommeil des autres ! Comme si tu les verrais cannés avant l'heure : narines pincées, z'œils mi-clos, joues creuses, l'teint qui blêmit vu qu'le sang circule davantage dans les ribouis qu'dans la calbombe, quand on pionce.

Une p'tite cinquantaine persillée sur le temporal, l'œil de v'lours, la langue qui va avec, et pis les biscotos entret'nus à coups d'époisse et alter au gymnaze de la centrale, il est flambant, l'Pantalon, sur ses deux pattes. Mais, à l'horizontale, dans les bras d'Morflée, on d'vine le beau cadavre qu'il va nous faire, un d'ces quat' matins.

Situcci lui pianote le sternorme pour l'éveiller sans brusquesse.

– Oh ! Panta, la nuit tombe, on entre dans le golfe de Portu. On va débarquer sur la plage de Bussaglia dans une vingtaine de minutes. C'est le moment dangereux, les patrouilles de mer sont sur le qui-vive.

– Avec notre artillerie, elles seront vite sur le qui-meurt !

– Je préférerais que ça se passe en douceur. Les frères de Lilian Collera nous espèrent à terre pour nous conduire à la bergerie. Il ne faudrait pas les désobliger.

– Alors on fait comme prévu.

Situcci me flanque une méchante bourrade.

– Feins pas de dormir, gros lard !

Mes efforts pour pas lui r'miser un taquet, t'les imagines, toi qui m'pratiques d'puis mon apparition dans... Tiens, n'après tout, j'va pas t'mâchouiller l'boulot. S'coue un peu ta fiole d'Orangina sans mélanger tes méninges : si tu m'démoules le titre où c'que San-A m'a éjaculé d'sa pensarde pour la première fois, j't'offre ce bouquin a'ec une dédicrasse originelle signée par Alexandre-Benoît Bérurier soi-même personnellement.

Bon ! Reviendons-en à Situcci.

– Voilà ton passeport, qu'y me dit. Désormais, tu te dénommes Mateo di Alfonso, tu es éleveur d'agneaux à Sisteron. Le mouton, ça te connaît, non ?

J'tombe pas dans son panonceau et lui r'mise que je fais dans la soie, pas dans la laine.

– A partir de maintenant, c'est moi qui planque avec Pantaléon, et toi qui pérores sur le pont, Mateo. Si on nous arraisonne, tu es venu en Corse avec ton marin pour pêcher au gros. Tous les fafs sont en règle. Et toi, tu seras réglo ?

– Voyons, m'sieur Situcci, que j'pleurniche : avec les r'mises d'pénis, m'restait moins de six mois à tirer. Et m'v'là en cavale cont' mon gréement ! A'ec tous les flicards sulfatés pendant l'évasion, j'vais en r'prend' pour vingt piges, si on m'alpague ! J'ai pu d'alternance : faut qu'j'marche a'ec vous et qu'je me confondisse dans la nature.

– Mon cul, oui ! Tu crois pas qu'on va s'encombrer d'un locdu comme toi ?

Va falloir jouer serré. Ce pourri n'rêve qu'de m'cnfumer la triperie. C'est pas dans mes manières, d'chiquer les lopettes, mais y a des fois, ça peut êt' bon pour la santé.

– Soyez pas injuste ! Je pourrais vous rend' plein de services...

– A part jouer au lasso avec ta trompe de pachyderme, tu sais faire quoi ?

– Ben... je cuisine comme un chef, j' raconte bien les blagues d'Olive et Marius, et pis j'cogne dur. J'ai z'été champion de boxe française, au régiment.

– Et à part les marchandes de bonneterie, tu sais tirer ?

– Au garenne, j'me défendais.

– Nous, c'est le perdreau qu'on aligne. Et t'en ferais pas partie, des fois, de la perdraille ?

– C'est bon, Paoli, proteste Buonamorte. Alexandre-Benoît n'est pas une balance, j'le sens.

– Si c'est pas une balance, c'est un cave, et en tout cas, un *pinzutu*[1] ! Je préfère qu'il porte la montre, Panta, c'est plus sûr.

Cet enfoireman me cloque d'autor' autour du poignet un chrono de plongée balèze comme Big Benne.

– Elle est piégée, la montre. Si tu nous trahis : boum ! Si tu essaies de la retirer : boum ! Compris ?

Par le fait, tout se déroule sans âne ni croches ! Pas un autre barlu sur la grande bleue, calme plat. On est réceptionné par trois zigues émasculés du visage avec des regards à faire chier dans son string l'champion du monde des sumo, tu sais, les Japonouzes encore plus enrobés qu'ma pomme. L'un des frangins ressemble à un chacal, l'autre à une n'hyène, l'plus sympa à un coyotte enragé.

– *Cumu va ?*

– *Va be !*

---

1. Un *francaoui,* en pied-noir, un *gadjo* en manouche, un *goy* en yiddish. Un de pas-par-ici, quoi.

Embrassades, tapes dans le dossard, tout juste s'ils s'enculent pas à la joie des retrouvailles. Et v'la qu'tout étonné d'me sentir encore en vie, j'retire étourdiment la montre d'mon poignet.

– Noooonnnn ! hurle Situcci.

Mes réflesques, t'en a souvenance ? J'balance la toquante n'aussi loin que je pusse.

Quel boum !

Pas d'blessés graves, soit, mais nous v'là tous en calbute !

– Quand est-ce que t'arrêteras de faire le con, Mateo ?

Quelques volets se sont entrouverts dans le hameau voisin, tous les autres se sont fermés. Une fourgonnette de gendarmerie fit demi-tour et rebroussa chemin.

La nuit était conforme sur l'île de Beauté.

L'acqua fà fangu, u vinu fà sangue.
L'eau fait de la boue, le vin fait du sang.

6

Je balance

Corse-Matin *sur le siège voisin.*
A la une du journal, Saddam est peut-être mort
sous les décombres d'un restaurant de Bagdad.
En page quatre, il aurait été aperçu pétulant
en Syrie, en Libye, en Croatie et à Nogent-le-Rotrou.

La fille me reluque par-dessus l'épaule de son débardeur échancré jusqu'au nombril. Chaque fois qu'elle se penche en avant, son jean taille basse laisse entrevoir un moins que rien de slip fistrouille se faufilant dans son Padirac intime. On appelle ça du *butting*, maintenant que les Ricains prétendent aussi régenter globalement le cul.

Cette méchante petite salope se trémousse depuis le décollage sur le siège 14 C de notre Airbus, et moi j'occupe, juste en biais derrière elle, les places 15 A et B, le zinc n'étant pas complet.

J'ai embarqué à Orly-Ouest dans la dernière navette pour Bastia en présentant une carte d'identité sur laquelle ma fonction de matuche n'est pas mentionnée. Chez les roussins de haut vol, on possède tous ce genre de papelards anodins à exhiber lors des enquêtes secrètes et filatures délicates. Aujourd'hui, je suis dans la posture du filoché. La brigade antiterroriste, épaulée par les mercenaires de l'I.G.S., n'apprécie pas lerche mon entrée en fanfare dans l'affaire Buonamorte-Situcci. Sans doute ma démission de la direction de la police nationale et ma demande de réintégration dans mon simple grade de commissaire n'a-t-elle pas plu en haut lieu. Mais le haut lieu d'aujourd'hui, franchement, c'est pas ma *cup of tea* – ainsi disait la belle Lady Di que je n'ai jamais eu l'honneur de fourrer mais dont j'ai quand même fait mater l'intime par un nain dans *La Nurse anglaise.*

J'ai eu quelques sueurs froides lorsque la turluteuse de micro a annoncé que notre vol aurait une heure de retard. Hormis ce contretemps, le trajet s'est déroulé dans le pur satiné.

Pourquoi une sourde angoisse vient-elle néanmoins me tarauder ? Cette gamine à peine teenagée qui se trémousse sans cesse sur le siège en pince-t-elle vraiment pour mon physique ravageur ? A-t-elle deviné que mon palonnier à tête chercheuse pourrait l'emporter bien plus haut que les trente mille pieds de l'A 320 ? Un boisseau de morbacs a-t-il tout de go investi sa cressonnière ? Ou n'est-elle pas chargée de m'agrappiner par cette hiérarchie qui tant me noises cherche ?

Ressaisis-toi, Tonio ! Faut pas céder à la paranoyade. Ou alors change de turbin. Va tenir une charcuterie en Lozère en espérant que ni Petitrenaud ni Jean-Pierre Coffe ne viennent te débusquer. Deviens faux-témoin de Jéhovah. Une houle de détresse me submerge l'âme. « J'aimerais soudain que les êtres qui me sont chers n'aient jamais existé et me laissent partir sans regret dans l'éther. » Quand la vie me dégueule de la peau, je griffonne ce genre de sentence sordide sur mon calepin. Je la relis à voix basse, puis en fais une boulette que je mâchonne en guise de chewing-gum. Ma pensée est moins amère, imbibée de suc gastrique. Là, je viens de te la balancer parce que j'avais envie de te faire de la peine. On a parfois besoin de la tristesse d'un ami autant que de partager sa joie. Je crois écrire pour tous, en vérité, j'écris pour toi qui souffres de mal-amour, de mal-compréhension, de mal-vivre et de bientôt mal-mourir. Parce que j'espère que tu me ressembles.

Atterrissage sans décombres à Bastia-Poretta.

La jeune pétasse qui m'allumait est accueillie par un godelureau de son acabit. Le gars lui roule un patin, lui coule un finger dans le Cadbury, et l'entraîne gaiement dans les déblais de ma mémoire.

Me reste plus qu'à dégoter une bagnole de location.

Les enseignes Avis, Hertz et Budget ont baissé pavillon à cet horaire tardif. Seule la guitoune « Boubba-Cars » tient rideau levé. Un grand Black s'agite derrière son comptoir. Il explique à deux morveux qu'il est occupé avec une dame et leur demande de patienter.

Le plus teigneux des gamins, un freluquet tatoué d'une marguerite sur l'avant-bras, le menace à mots à peine couverts :

– On t'a prévenu, Boubba, quand les autres ferment, il faut fermer aussi. C'est la règle.

– Je vais fermer ! Le temps de louer ma dernière Clio et je plie bagage.

– Ça sera peut-être trop tard...

Les mômes s'évacuent en faisant claquer leurs phalangettes sur un tempo lancinant.

Je m'approche de la guérite.

– Fini de chez fini ? questionné-je. Plus de voiture ?

– Désolé, Monsieur ! s'excuse le surbronzé.

La cliente m'expédie un message de navrance. Je la détranche d'un coup de scanner privatif. Tu sais qu'elle est choucarde, du haut de sa trente-huitaine, malgré ses allures de chargée de cours à Villetaneuse et son tailleur gris cintré acquis au Chic Parisien de Lamotte-Beuvron ?

Je m'évacue, morosissime.

La station de taxis est déserte, comme l'ensemble de l'aérogare. Quelques caddies vacants et un minibus dont le pot d'échappement émet des fumerolles égaient les lieux. Je m'approche du petit car. Le chauffeur, un rondouillard sculpté dans une olive dénoyautée, grignote une brindille de réglisse, adossé à son capot, reniflant les miasmes de son moulin à fioul.

– Ça va tomber ! me dit-il en désignant le ciel violacé qui se boursoufle au-dessus de la mer.

– Probable, acquiescé-je. Ça sent l'orage. A cette heure-ci, les taxis ?

– Zéro. Ils n'aiment pas trop circuler la nuit, faut les comprendre.

– Et vous ? Vous ne pourriez pas me conduire en ville ?

– A Bastia ?

Je tire ostensiblement mon larfeuille et fais claquer un talbin de vingt euros.

– Moyennant...

– En aucune façon ! Je suis chargé du personnel de l'aéroport. J'ai pas le droit de prendre des touristes. J'ai assez galéré pour attraper ce job, j'tiens pas à le paumer.

Je ne sais argumenter qu'à coups de boule ou de biftons, t'as remarqué ? Dans un premier temps, je dégage un format de cent pions. Les gobilles du carman s'arrondissent sous l'effet de la convoitise. Il mate autour de lui, crache un jet de zan sur le bitume et me fait signe de grimper dans son bahut.

Qu'alors des phares surgissant du parking réservé aux caisses de location nous éblouissent. Quatre projos, ça fait beaucoup pour une simple Clio. Je constate que la guinde est encadrée par deux motos qui tournevoltent autour d'elle et l'obligent à s'immobiliser.

L'un des motocyclistes, casqué Robocop à l'image de son pote, braque la conductrice avec un revolver portion adulte.

– Sortez de la voiture !

Paniquée, la femme en tailleur ringard s'extirpe de la Renault, serrant contre elle son sac à main.

Le gonzier le lui arrache d'un geste barbare.

– Ça fera pour nos frais de déplacement !

– Et ma valise, dans le coffre ?

– Vous la réclamerez chez « Boubba-Cars » ! Allez, on dégage, et vite fait !

J'amorce un geste pour intervenir, mais le conducteur de bus me retient par le bras.

– Laissez ! Ça vous regarde pas.

– M'enfin, c'est un braquage !

– Non ! Un simple conflit social en train de se régler.

Tandis que la môme cavale dans notre

direction, le second motard balance un cocktail Moloteuf dans la Clio qui s'embrase illico. Le type met les gaz et s'évapore. Son complice, roue arrière, roue avant, fait le rodéo autour de la fille terrorisée en tirant des coups de pétard en l'air.

– On te l'avait dit, Boubba, braille-t-il. Il faut fermer à l'heure !

Comme il passe à ma portée, je lui virgule un chariot dans le guidon. Il exécute une cabriole et chute à terre. Son revolver lui échappe, fuse sous le minibus.

Furibard, le loubard se relève et fonce vers nous. Entre ma haute statuaire et la dégaine loukoum de mon compagnon, il n'hésite guère : paf ! C'est le chauffeur qui déguste le casque en carbone au tungstène de kevlar dans les gencives et plonge à dame pour bien plus que le compte.

L'agresseur relève sa bécane, la redémarre d'un kick furieux et part, manettes à fond, sur les traces de son pote en échappement.

Vite fait, je tâtonne sous le petit car, ramasse le flingue, le glisse discrèto dans ma fouille. Je récupère mon sac de voyage et ouvre la portière passager à la donzelle ébahie.

– Vous avez été d'un courage ! suffoque-t-elle.

– On va essayer de les rattraper.

Elle croise très haut les jambes pour se hisser dans le véhicule. J'étais sûr qu'elle portait des collants, cette gourdasse ! Ce qui m'insupporte dans le collant, c'est qu'un cul et des pieds soit enfermés dans le même sac.

J'embraye sec. La fille boucle sa ceinture. Empruntée, sans doute, mais plutôt joliette, malgré sa permanente Dessange l'Oréalée-queue-de-vache-cendrée. Derrière ses yeux pistache taillés en amande, manquent un apéricube et deux crackers Belin pour que la fête soit complète et que Lafesse soit complice.

Je fous la gomme. Elle serre les miches.

– Ils ont trop d'avance, bredouille-t-elle. Et puis, ils sont armés.

– Votre sac, votre valise !

– Je ne récupérerai plus rien.

– Il faut les arrêter, ces petits salopards !

– A quoi bon ?

Je lève le pied tout en lui frôlant le haut de la cuisse. La vibration de tout son corps explicite des heures, décades et décennies de frustrations sensuelles.

– Ne profitez pas de la situation, comm...

– Comm... ?

– Comme... les autres !

Je me gare à la jonction de la D 507 et de la N 193, histoire de te prouver que je connais bien le coinceteau, Duglandu.

– Vous ne souhaitez pas qu'on retrouve ces trous du cul. Pourquoi ?

La femme baisse la tête.

– Mon fils aurait pu être l'un d'eux. Hélas, il est déjà en prison...

– A Borgo ?

– Oui. Je suis venue le voir. J'ai un droit de visite pour demain.

Je lui saisis délicatement la dextre. Sa paume est moite, ses doigts frissonnent.

– Il y est pour longtemps ?

– Pour toujours, peut-être.

Elle laisse aller sa tête contre mon épaule et s'épanche. Son prénom, c'est Corinne. Née native de Saint-Brieuc, elle aurait mieux fait de passer ses vacances de jeunesse au Port-Blanc, comme ses cousines. Seulement, il a fallu qu'elle se laisse tenter par le mirage méditerranéen. Sa Corse en stop s'est soldée par un polichinelle dans le buffet breton à l'âge de dix-sept ans. Ses parents l'ont rejetée, les toubibs ont refusé de faire passer le marmot, et Bécassine s'est retrouvée dans une chambre de bonne chez des bourges hautement cyrillusés. Elle a fini par décrocher un boulot à l'ANPE (enfin une de casée !), ce qui lui a permis d'élever son petit Loïc dans une certaine décence.

Mais voilà qu'un beau jour le géniteur du gamin s'est fait dessouder dans un bar de Piedicroce, en pleine Castagniccia, parce qu'il avait abattu à visage découvert, un cochon sauvage qui n'appartenait pas à quelqu'un de son clan.

Jusques alors, le jeune Loïc Follducq s'était comporté en Breton bretonnant, soutenant mordicus l'En Avant Guingamp, trinquant au chouchen, sachant ponctuer ses adieux d'un kénavo bien senti.

Mais l'esprit insulaire s'est mis à fermenter sous sa coiffe. Un soir, le môme n'est pas rentré du lycée. Il avait racketté ses copains pour s'offrir le voyage Rennes-Bastia et acheter un fusil dont il a scié le canon. Il a retrouvé le meurtrier de son dabe, lui a fait exploser le citron devant une demi-douzaine de témoins dans la rue principale de Ponte Leccia, face aux cimes enneigées du

Monte Cinto, si c'est pas malheureux de polluer un si beau paysage.

– Où comptiez-vous loger ? m'enquiers-je-tu subrepticement.

– Un gîte rural dans le vieux village de Furiani. D'habitude, je descends au Flingotel, sur la nationale, mais c'est complet à cause du Salon de la Paillote Ignifugée.

– Je vous dépose.

– Je n'ai plus de papiers, plus d'argent, plus de vêtements...

– Les papiers, ça se remplace, l'argent, je vous en avancerai, et je peux vous prêter un t-shirt pour dormir. Vous voyez que la nuit n'est pas si noire.

La vérité du bon Dieu, c'est que j'ai hâte de larguer cette pécore, de troquer le petit car pourri contre une vraie chignole, et de tailler la route vers Santa-Pina. Si t'as oublié pourquoi, moi je sais !

J'emmanche la direction nord. Le ciel craque enfin. Il se déchire mieux que le futal de Béru quand il se penche en avant pour ramasser un centime d'euro. Un zèbre de lumière, un pet de tonnerre : boum ! Ça cogne dur sur la Corse !

C'est le moment que choisissent les essuie-glaces pour rendre quoi ? L'âme ! Bravo, t'aurais pu écrire à ma place si t'étais moins demeuré à la tienne.

(Je voudrais bien te dessiner l'orage qui fait rage, mais j' suis un peu naze, là, j'arrive en fin de journée. Alors reporte-toi à ton dico habituel : orage = violente agitation de l'atmosphère. Si ça ne te suffit pas, va faire un tour chez Disney : tu verras Peter Pan et le Capitaine Crochet affronter les éléments déchaînés. Le jour où, pour écrire, suffira de penser, tope-la, j'te ferai un bouquin de plus par an. M'en attendant, faut que je m'y colle, au clavier universel : les nues gonflent leurs joues d'hamster indigo – *virgule* – la douche de Vulcain ne cesse d'écosser les p'tits pois – *virgule* – des tonnelets bourrés de dynamite roulent des tampax dans mes osselets auriculaires et le pare-brise crépite comme les télex annonçant la mort par rafales de bretzels d'un incertain président du Texas – *point t'à la ligne.*)

Nous croisons une estafette policière dont au sujet d'à l'intérieur de laquelle un pandore signale avoir croisé le minibus volé à l'aéroport il y a moins de pas longtemps.

– T'en es sûr ? demande le préposé dans la radio.

– Peut-être, réplique le chef de patrouille.

– Rentrez au bercail, on verra demain ! décide Fanfan, haut responsable à la sécurité locale, capitaine de raison qu'un cabri aux olives attend dans une cocotte en fonte, tandis que sa maman moustachue se morfond devant un verre de myrte et que sa femme, réputée revêche, se laisse doigter dans la pénombre par un voisin de circonstance.

L'averse redoublant, les balais en rideau, je conduis à douze à l'heure, tête passée par la portière. Pour meubler le temps, cet espace si mal exploité par les piètres antiquaires de souvenirs que nous sommes, Corinne Follducq m'achève son odyssée. Je l'esgourde d'une portugaise entr'ouverte, l'autre se laissant shampouiner par le ciel en furie.

J'en retiens qu'elle s'est récemment marida avec le type tenant la crêperie de la rue perpendiculaire à l'avenue parallèle à celle qui longe la gare de Rennes, si tu vois les lieux. Un homme généreux qui lui avance sans intérêts ou presque une partie des sommes nécessaires à carmer les avocats de son fils.

A son tour elle veut savoir le pourquoi du comment de ma venue en Corse. J'affirme être chroniqueur musical à *Chorus* et préparer un article sur le chant polyphonique.

– Ça doit être passionnant ! fait-elle, subjuguée.

– Moins que les percussions traditionnelles moldaves.

Une connerie en entraînant une autre, le minibus se met à tousser, l'allumage noyé sous la baille. Deux hoquets plus loin, il passe de l'intermittence à la grève illimité. Je me gare en roue libre dans un sentier bourbeux, coupe les phares vacillants.

– Qu'est-ce qu'on va faire ? s'inquiète la fille.

– Attendre le petit jour, allongés vous et moi sur les banquettes du car.

– D'accord, mais en copains !

Vingt secondes plus tard, Corinne se retrouve à quatre pattes, jupe bourrelée sur les hanches. J'ai déchiré son fieffé collant le long de la couture médiane, écarté sa culotte de coton et me suis mis à table avec cet appétit broutard que tu me connais. Comme bien des femmes peu pratiquées, elle a le poil rêche, les lèvres australes fermes et palpitantes, le clitoris granuleux, suave et acidulé à la fois, façon fraise tagada.

– Ah oui ! J'aime quand vous me léchez, jérémit-elle avant d'ajouter : si mon époux me voyait !

Tu parles, mater sa légitime avec une langue dans le train quand on n'est pas du convoi, il arrive que ça déplaise. Pour l'heure, je m'en bats le beurre, de son époux. Je l'imagine avec un tout petit x à la fin : m'étonnerait qu'il ait droit à l'X majuscule réservé aux hardeurs et autres polytechniciens.

Une discrète, Mme Foilducq ! Pas une hystéro qui glapit en grimpant au fade. Je dirais plutôt qu'elle glousse toute en pudeur. Elle me rappelle un couple de tourterelles qui a pris l'habitude de venir forniquer sur le rebord de ma fenêtre, à Saint-Cloud. Le mâle, ce vieux ramier, débite toujours la même sornette à sa palombe, une roucoulade du genre : « Oukilépapa... oukilépapa... » Marrant ! Les pigeons, pourtant pas les oiseaux les plus crétins du monde, bien qu'ils participent à nos guerres, n'ont qu'un seul cri d'amour depuis la disparition des ptérodactyles au crétacé : « Oukilépapa... oukilépapa... » Et c'est pareil pour tous les bestiaux. Alors que nous z'hôtes, héritiers de Lucy, fils de Coppens, entre : « Vos beaux yeux d'amour me font mourir » et « Écarte les roseaux que je pêche au large », nous cultivons une délicieuse gamme de madrigaux.

Mais c'est à double tranchant. Prends le clébard : « Ouah-ouah », et il se fait comprendre partout. Tandis qu'aux Indes, pour l'exemple, avec vingt langues et quatre cents patois, personne n'entrave personne. Et tu verras jamais un bâtard y grimper une levrette, même afghane.

Le premier panard obtenu langu militari, je décide d'attaquer le gros œuvre. Au zip de ma braguette, Corinne pressent l'intervention de l'artillerie lourde.

– Vous mettez des condoms, au moins ? s'alarme-t-elle.

– Pas d'inquiétude, la doublure de ma veste est alvéolée de capotes. Une vraie ruche à foutre.

– On a déjà vu des préservatifs se trouer...

– On a vu aussi le zeppelin exploser sur New York, mais c'est pas fréquent.

– Je suis en pleine ovulation...

– No problem !

Je dévie la trajectoire de trois malheureux centimètres et lui prodigue recta un sondage direct sortie des burnes.

– WWW.WWW.GOOF ! me lance-t-elle en guise de S.M.S.

Sûrement pas une forcenée du chassepot à deux canons, la Corinne, mais elle fait contre mauvaise fortune bon cul, mordillant en silence la manche de son chemisier.

Surprise passée, elle commence à apprécier l'investissement qui devrait lui rapporter à court terme un joli dividende. Sa respiration devient saccadée, ses gémissements se muent en grondements, mais, hélas, voilà que son importun portable grésille.

Je le déniche, emberlificoté dans une poche de sa jupe, et le lui tends.

– Allô ! Oui, oui, tout va bien. Je ne peux pas te parler, pour l'instant, je te rappellerai. Tu es encore à la boutique ? O.K., à plusse...

Elle balance le téléphone sur la moleskine et se cambre.

– C'était mon mari ! Mais continuez... Plus vite, plus fort ! Oui, plus fort, san...

– San... ?

– Sans me défoncer, quand même !

J'active la pistonnade tout en gambergeant. J'te prends à témoin, Nez-de-Bœufs : si ta Josiane s'était fait taxer sa guinde de location, chourer tous ses fafs et cramer sa valbombe, est-ce qu'elle te chanterait l'air de « Tout va très bien Madame la Marquise » ?

J'admets qu'à croupetons avec une batte de baise-Paule (ou une équivalence) dans le derche, on ne soit pas très encline à faire des phrases.

Banco !

Seulement, comment expliques-tu qu'un crêpier de Rennes, encore au turbin dans sa gargote, émette un appel depuis la Corse ?

Car en passant le bigophone à Corinne, j'ai nettement lu l'indicatif allumé sur l'écran : 04 95... le préfixe de l'île. Pas eu le temps de mémoriser le reste du numéro, mais fais confiance, je sais les faire causer, ces vibro-messages.

Dans l'intervalle, tu ferais quoi, à ma place ?

T'éjaculerais ?

Voilà une idée qu'elle est bonne, merci de me l'avoir insufflée.

J'active à la manœuvre et largue les colombes.

La virulente moiteur de mon émission plonge ma conquête en molle pâmoison, comme l'écrivait jadis avec tant de grâce le chevalier de Néon que ces pédés d'Angliches obligèrent à se travestir.

Les lamentos de Corinne, conjugués aux staccati de la pluie sur le toit, étouffent l'ouverture de la porte arrière du bus. C'est le cliquetis des armes qui me force à me retourner. Je remise presto coquette dans le vestibule.

Trois types masqués de noir nous braquent, dont l'un avec une torche de plongée. A contre-jour, on les croirait jaillis de la page quatre de Boucq de ce bouquin, c'est te dire leur dangerosité.

– Dommage de perturber une scène aussi touchante ! ricane celui du milieu.

Les fentes de sa cagoule, yeux et bouche, sont ourlées d'un passepoil rouge. Le timbre rauque, quoique perché dans les aigus, simule les inflexions d'un travelo pour comédie de boulevard. Pourquoi cet homme (ou cette femme, qui sait), duc-de-Guise-t-il-(ou-t-elle) sa voix ?

Réponse, Alphonse : parce je connais cette

voix et qu'il (ou elle) craint que je puisse l'identifricier.

De là je conclus qu'un individu soucieux de s'anonymiser n'a pas l'intention de me liquider, ce qui est une bonne nouvelle.

Dans la pénombre, Corinne rajuste sa lingerie et rabat sa jupaille.

– Allez ! Embarquez la fille, décide le chef (ou la cheftaine, peut-être ?).

– Et l'enculeur, on le bute ? questionne le sbire éclaireur.

– A quoi bon ?

– Il m'a foutu en l'air avec ma bécane !

– Tu parles trop, Dino. C'est la femme qui nous intéresse.

Je vais te camper la situation, mon z'ami, et elle est pas brillante. Imagine le minibus : la double porte arrière a été investie par les cagoulards dont deux sont les motards de l'aéroport. Le flingue piqué au susnommé Dino croupit dans ma veste abandonnée sur la banquette avant. Je me trouve à trois rangées de là et deux canons scrutent ma tronche. La moindre tentative se résumerait à un baptême au plomb fondu.

T'ayant trop habitué à de fracassants coups d'éclat, tu vas me penser bien lâche de laisser Corinne kidnapingée sans réagir. Mais à l'impassible nul n'est tout nu.

Pendanquedurant on entraîne la fille sous la flotte, ma moulinette à neurones me chuchote des trucs bien évidents que je vais t'énumérer mollo, connaissant ta déliquescence intellectuelle :

Huns : les troudus motards sont chargés de punir le loueur de bagnoles Boubba pour non-respect des horaires de fermeture. Ils chourent le sac de Corinne, histoire de se faire de la gratte.

Dreux : leur patron (ou patronne) découvre l'identité de la femme en palpant ses papiers et décide de l'enlever. Pourquoi ? Parce qu'il s'intéresse à son fils Loïc ? Ou parce que Corinne n'est pas vraiment celle qu'elle prétend être ?

Troyes : je n'ai guère confiance en cette greluche qui, je t'en fous mon billet, sait très bien qui je suis. Par deux fois elle a failli se trahir. Tu veux des preuves ?

Flash back 1 :

« – Ne profitez pas de la situation, comm...

– Comm... ?

– Comme... les autres. »

N'allait-elle pas dire : commissaire ?

Flash back 2 :

« – Oui, plus fort, san...

– San... ?

– Sans me défoncer, quand même ! »

N'allait-elle pas dire : San-Antonio ?

Claquements de portières : Miss Follducq s'en va vers un destin qui m'intéresse sans me préoccuper, l'aîné de mes soucis étant de soustraire le téléphone d'icelle à la convoitise des nos adversaires. D'une pichenette, je le dégage de la banquette au moment où, sur ordre de son boss (ou de sa bossa nova), Dino entreprend de me menotter à la tubulure des sièges avec un vieux modèle de cadennes piqué à des gendarmes de l'avant-guerre, mais je ne me souviens plus trop laquelle.

Le fait qu'on me ligote, me conforte dans l'idée qu'on ne va pas me rectifier, sinon pourquoi dépenser tant d'énergie pour ballepeau ?

Mon optimisme se fige comme la moue molle de Mme Brigitte Facho sur la banquise à bébés phoques d'« On ne peut déplaire à personne », lorsque Dino implore son leader (ou sa dealeuse) :

– Par pitié, laissez-moi seul un moment avec cette ordure, que je règle mes comptes !

– Avec plaisir, vous formerez un beau couple, rétorque le *padrinu* (ou la *matrina*), en fichant une bastos dans la nuque du jeune voyou.

Un geyser de sang m'asperge (sauce mousseline tendance corail) et le corps du freluquet s'abat tout frémissant de mourance contre mon poitrail.

– *Parlavi troppu*, Dino (tu parlais trop) ! dit le tueur (ou la tueuse). *È po'* un vrai militant ne perd jamais son arme.

Au P.C. de la police, un corbeau à voix de pie-grièche signale un coup de flingue dans un chemin creux de la D 364. Plus question de tergiverser, il faut y envoyer la patrouille. Le capitaine Fanfan renonce à son cabri aux olives cependant que sa mère, noyée dans ses liqueurs, feint de ne pas ouïr les jouissements de sa bru sur la terrasse.

La pluie triple, ayant déjà redoublé. L'obscurité est dense, trahie quelquefois par un éclair. A plusieurs reprises, je repousse le cadavre de Dino des épaules et des genoux, mais son buste, renvoyé par le dosseret de la banquette, me retombe inlassablement dessus. La glu de son sang caillé empèse le col de ma chemise et me poisse le cou.

De ma main libre, je pars à la recherche de mon sésame : tu sais, ce petit morceau de ferraille qui ne me quitte jamais et vient à bout de toutes les serrures. Je le décèle après mille contorsions dans ma vague la moins accessible, évidently. T'as déjà dégoté le papelard que tu cherches au sommet de la pile dans le bon classeur du premier coup sur la bonne étagère ? C'est toujours la dernière clé du trousseau qui ouvre la lourde de ton gourbi, la quatrième possibilité d'introduction de ton ticket qui soulève la barrière, du côté beurre que s'écrabouille ta tartine. Et quand tu rentres en fin de soirée, tu raccompagnes tout le temps la gonzesse qui a ses ragnes alors que, statistiquement, tu avais trois chances sur quatre d'échapper aux Anglais. T'insurge pas, mec : ces petits tracas de l'existence t'épargnent peut-être de plus gros turbins.

Une clique, un claque, clic clac ! me voilà débarrassé des menottes. Je vire le macchab et respire un bon coup, libre comme l'Eire quand elle aura récupéré l'Ulster.

L'était temps, Gaétan, car une sirène deux tons rapplique. A petite vibure, toutefois, car il est d'usage que la police s'annonce avant de déranger les gens.

A l'aveuglette, je récupère le téléphone de Corinne, rafle ma veste avec le pétard, chope mon baise-en-ville et me coule hors du minibus par la porte passager à l'instant où l'estafette poulardine rapplique.

Je m'éloigne dans la nuit sous l'orage.

Bien sûr, tu aimerais savoir comment je vais me dépatouiller de ce merdier ?

Et moi donc !

Mais va falloir que tu pousses jusqu'au chapitre suivant, ma poule, et sans doute même un peu plus loin.

Quelques pages à tourner, c'est pas la merde à boire, comme dit Béru dont on va recauser d'ici moins que très peu.

A' ch'hà u pane è u cultellu
face a fetta cume vole ellu.

Celui qui a le pain et le couteau
coupe sa tranche comme il veut.

7

Paraît con

n'a toujours pas r'trouvé en Chiraquie
des larmes d'destruction mastive,
n'à part deux lance-pierres,
une boule puante et un pot de gaz moutarde Amora.
Pauv' planète où c'qu'on vit !

Le troupeau apparut au détour du sentier, Van Gogh deux pas devant les autres. Cette puissante *capra corsa* avait été baptisée ainsi pour les poils roux festonnant son menton et cette oreille déchiquetée par la clôture d'un mauvais voisin des frères Collera. Dieu reçoive l'âme de cet intempestif barbeleur après une chute aussi mortelle que malencontreuse !

Un matin sur trois, Van Gogh, meneuse de la troupe laitière, conduisait ses copines paître dans ce secteur de la montagne qu'elle appréciait pour ses buissons embaumés et pour la féerie du site. Les cornes rebiquées vers l'est, elle admirait la coiffe neigeuse du Monte Cinto. Barbiche pointée à l'ouest, c'était la dentelle fauve des *calanche* et l'azur de la mer, plus bleu que les yeux de ce bouc qui avait enflammé ses pis au temps de sa jeunesse.

Elle savait devoir emprunter ce chemin quand on lui retirait sa *tintènna*, clochette dont elle était pourtant si fière, et qu'on la lestait de lourdes sacoches en peau de bique qui lui conféraient la dégaine d'une bête pleine. Il avait fallu moins d'un mois à ses maîtres pour la dresser et, depuis près de quatre ans, elle accomplissait deux fois la semaine sa mission sans faillir.

Elle avait croisé des braconniers, des gendarmes, des bandits, des donneurs, des douaniers sans que personne ne prêtât attention à elle. Des hélicoptères avaient même tournicoté au-dessus de sa *banda* (troupeau) sans rien déceler d'anormal. Elle n'avait pas sa pareille pour se fondre dans les buissons de myrte ou se planquer sous un *albitru* (arbousier).

– Les voilà ! jeta Pantaléon Buonamorte. Le

ravitaillement se trouve dans le bât de la chèvre de tête.

D'un calme habituellement olympien, la digne descendante d'Amalthée se cabra en voyant un gros type lui foncer dessus. Mais le bruit mat des sabots de l'intrus et le parfum boucané de son entrecuissot lui évoquèrent le langoureux souvenir du beau mâle de ses premiers émois amoureux. Aussi le laissa-t-elle lui arracher une première sacoche.

Coup de foudre ou simple feeling, l'homme pensait à la même seconde en respirant Van Gogh : « Hum... ce fumet ! On jurerait ma Berthe quand elle ressort de la douche. »

Alors que le Mastard faisait mine de s'emparer du second paquet, Pantaléon protesta :

– Une seule sacoche, Mateo. Et laisse filer le troupeau.

J'soupèse le colibard qui m'semb' bien maigrelet, vu l'état d'affamaison où j'suis. La chèvre à l'oreille cassée m'lance un r'gard polisson avant d'se r'mett' en route. Toute la meute s'emmanche derrière elle en direction des z'hautes z'altitudes. Je r'garde défiler les biques comme des bidasses de quatorze juillet. Idem, sauf qu'elles ont pas l'même uniforme. Si tu voudrais mon opiniasse, y en a même pas deux qui s'ressemblent. Mafflue, petiote, grassouillette, efflanquée, bancale, fière-à-pattes, toute-en-poils, razibus, blanchasse, roussâtre, noiraude, tachetée, zébrée, primesauteuse, guindée, folâtre, bêcheuse, gambaderesse ou docile, z'ont chacune leur personne-à-litière. J'en remarque une minusse a'ec un bâtonnet dans le clapoir attaché à ses cornes par une ficelle.

– C'est quoi, c't'instrument d'torture ?

– *U bigognolu*, pour empêcher les jeunes bêtes à peine sevrées de têter leur mère et les forcer à brouter pour se nourrir.

– Z'inhumain !

– Les chèvres sont pas des hommes.

– Y'a beaucoup d'hommes aussi qui sont pas trop z'humains.

Craignant d'avoir gaffé, j'm'emprêche d'ajouter :

– J'dis pas ça pour toi, Panta, qu'a refroidi plus de bipèdes qu'la place de Stalingrad.

Les bestiaux s'éloignent bêle-mêle dans la montagne. Un truc m'chiffonne : pourquoi t'est-ce qu'on laisse filer un gros paquet de mangeaille ? Pour servir un aut' client, plus haut dans les alpages corsicos ? J'fais part d'mon souci à Pantalon.

– Tu réfléchis trop, Mateo.

On s'est mis à becter, vu qu'j'avais la dalle mortuaire. Moi, j'm'ai enquillé presqu'tout le saucisson d'âne et l'jambon d'sanglier, a'ec un pain d'châtaigne bourratif comme j'les aime. Sourcilleux d'leur ligne, Pantalon et Doumé se sont tartiné du *broutch*, un genre d'fromage blanc de chèvr' ou d'brebis ou d'les deux mélangés, dans le cul d'leur assiette : suc' en poud' par-dessus et l'arrosage de gnole, ça fait leur rue Michel. Faut r'connaît' qu'c'est pas dégueu, mais c'qu' y m'a l'mieux plu, c'est d'liquider le restant d'alcool de myrte à la rigolade. Ça vaut pas l'Arquebuse de l'Ermitage, question subtilité, mais quand même, ça décape !

– T'es un goinfre, Mateo ! qu'il a osé, Doumé, c'petit trou-duc.

J'aurais dû l'baffer, c'est clair, seul'ment tu sais pas tout de c'qui m'advient par les temps qui se couvrent. On est trois à planquer dans c'refuge d'la garrigue. Sieur queue-de-cheval nous a confiés aux frères Collera qui nous ont assignés à résidu dans un trou à rats en plein marquis. Le Situcci, lui, il a joué cassos vers des lendemains qui chantent. Pantalon et mézigue, on doive d'abord s'faire oublier, l'temps qu'la fliquerie nous éjecte d'ses préoccupances immédiates. N'ensute, on pourra viv' une existence de fuyards ordinaires.

Le p'tit Doumé Chestufoula, j'le flaire en tueur-né. In ingliche : *naturel born enculeur* ! Y nous couve de tout son appétit meurtrier. Sa mitraillouze « Kilèchenicole » ne quitte jamais son épaule, comme la bride de soutien-gorge d'une intégraliste musulmojuivocatho.

Pantalon a eu droit à un vieux Beretta 9 mm, mais moi, pour m'armer, il a falluce que j'subtilisasse dans une cantine abandonnée un Opinel numéro 11, pièce d'collection, coutelas d'élite, que j'ai ravivé d'mon mieux.

Doumé va s'allonger sous un chêne en bois vert, la tronche calée sur une bûche, manière d'pas nous perde de l'œil. Moi, j'étale ma viandasse dans l'herbe printanière. Panta s'assoive en tailleur. Y m'tourne à moitié l'dos et m'cause entre ses ratiches :

– Au petit matin, Mateo, je suis parti dans la

garrigue. J'avais envie d'un bon civet. J'ai tiré un lapin et je l'ai raté. Qu'est-ce que t'en conclus ?

– Que t'as perdu la main en cabane.

– Faux. J'ai désossé mon flingue : cette ordure de Situcci m'a refilé des balles à blanc.

– Y s'méfie d'toi aussi ?

– Il a même l'intention de m'éliminer.

– Y t'aurait fait évader juste pour te dessouder ?

– Il a des tas de questions à me poser, avant.

– Et t'as pas envie d'lu filer les réponses ?

– T'as tout compris.

– Pourquoi qu'y t' les a pas posées tout d'sute, ses questions ?

– La méthode de l'usure. En me laissant marronner dans les broussailles, il compte me saper le moral. D'ici trois jours, il va rappliquer avec quelques gros bras, et ça va être ma fête. Ils me tailladeront la couenne jusqu'à ce que je leur balance mes infos. Et ne te berce pas d'illusions, Gros Lard, ils te flingueront aussi, des fois que je t'aie causé. Y a pas : il faut qu'on se casse !

– Moive, j'sus partant, mais l'gamin, y nous f'ra pas un brin d'conduite, ou alors vers l'enfer...

– Doumé ? Ne le surestime pas. Comme

tueur, c'est un spécialiste, mais un spécialiste débutant.

– C'est quoi, ton plan ?

– On est deux, il est seul. A un moment ou à un autre, il aura sommeil, envie de pisser ou de chier. C'est toujours dans ces instants d'inévitable dépendance animale qu'un mammifère se trouve en péril. J'ai repéré une vieille pelle. On lui en flanque un grand coup sur la *capezza*, on le bute avec son arme, on l'enterre et on se barre de ce *piazzile*. Je connais la région comme ma poche de poitrine. Tu marches avec moi ?

– Ouais ! Sauf qu'on le bute pas.

– Pourquoi ? T'es de sa famille ?

– Non, mais j'sus pas un tueur.

– Quand les béliers se battent, c'est l'herbe qui est écrasée. Tu ferais comment, toi ?

– Je l'assomme avec ta pelle, O.K., mais je l'entortille dans un filet pour la ramasse des olives, y en a partout dans le coinceteau.

– Quand Situcci le retrouvera, il l'exécutera pour lui faire payer notre évasion. Ça changera quoi ?

– Ma conscience.

– Tu me fais marrer, Mateo ! Ta conscience ?

Un fourgue de la porte de Clignancourt, il s'en ferait pas un paillasson, de ta conscience. Et puis, je vais te dire : tu es même cruel ! Parce que moi, si je le chope, le môme, je lui pète les vertèbres cervicales ; il se rendra compte de rien. Alors que Paoli et ses copains, ils vont lui en faire voir pour qu'il crache où on est passé. Ils lui brûleront les orteils, lui glisseront des lamelles d'oignon sous les paupières, lui frotteront le gland avec des gousses d'ail et des piments frais, lui enfonceront des courgettes et des aubergines dans le cul...

Tu sais qu'il arriverait à m'redonner faim, c'con-là, a'ec sa ratatouille ?

Le jeunot a fini par piquer du museau. Qu'tu l'voulasses ou non, la sieste, en Corse, c'est traditionnel comme une envie d'pisser à la fête d'la bière. Y a des trucs qu'on peut se retiendre : aller à l'Opéra, voter, faire du sport, claper des brocolis vapeur, manier l'coton-tige, changer de bénouze, accorder les subjonctifs, chanter sous la douche, prend'une douche, baiser la Reine d'Anglebeef, sucer du Viagra, se carrer un' torche dans l'cul pour faire lampadaire, grimper le Galibier à quat'pattes sur un tonneau, boire de l'eau misérable et même de l'eau du robbe-grillet, r'garder les émissions de réalité chauve, changer la couche d'son gamin, vomir dans l'bénitier, poser ses pompes d'vant une mosquée, réfléchir et surtout écrire... Mais pioncer, licebroquer, picoler, bouffer, roter, péter, rater la lunette des chiottes, niquer sa Berthe ou bâfrer du cassoulet aux pieds d'porc, c'est des incontournab' d'la vie !

On a fait comme j'ai dit. Une pelletée dans la gueule du marmot, dosée a'ec sagesse. On l'a ligaturé dans un filet et suce-pendu comme un n'hamac ent'deux oliviers.

Pour lui filer une chance d's'esbigner avant l'retour de Situcci, j'y ai coulé l'Opinel dans la pogne. S'il s'réveille à temps, l'petit Doumé, y pourra p'têtre survive quelques belles semaines. Mais y battra jamais l'record d'un Magnum, d'un Mas-tu-vu-zalem ou d'un Ossobucodinosaure, j'm'rappelle jamais la taille de la bouteille.

A'chi canta d'amore, canta di rabbia.
Qui chante l'amour, chante la rage.

8

Thierry, mon

frérot, annonce l'accalmie des orages sur la France du Sud et refile le microbe à Guillaume Durand pour le journal de dix-huit plombes.
La guerre en Irak s'installant dans la perspective d'un embourbement, les gros titres se font pout changer sur le nouvel épisode sanglant de la lutte armée en Corse.

« Un militant d'*a Incullata*[1] *Corsa*, mouvement dissident d'*A Cunculca, vitrine illégale du F.L.Co.N. canal hystérique*, a été découvert mort d'une balle dans la nuque à l'intérieur d'un minibus volé à l'aéroport de Bastia. Détail troublant : on a retrouvé dans le véhicule un petit crochet de fer qui pourrait être une clé

1. Je rappelle aux pudibonds qu'*a incullata*, en corse, signifie « la montée » et *a cunculca*, « le viol » (mais de la loi, seulement). Quant au F.L.Co.N., chacun sait que ce sigle correspond aux « Fiers libérateurs de la Corse nouvelle ».

universelle, ce genre de passe-partout qu'utilisent les as de la cambriole. »

– Putain, mon sésame ! ragé-je-ô-déesse-poire.

Je coupe le contact et la radio de facto. Un délicieux platane abrite mon parcage. Le jour hésite à s'envoler d'un site aussi magique.

Niché sur un piton de la Balagne, dominant la baie d'Algajola, entre le golfe de Calvi et l'Île-Rousse, Santa-Pina mériterait le surnom de plus beau village de Corse s'ils n'étaient vingt et cent à prétendre au titre. Ne cherche pas sur la carte, j'ai bricolé le blaze. Mais, sur le trajet Lumio-Sant-Antonino-Monticello, tu ne peux pas rater ce brin de paradis.

Nom d'un chien : j'avais oublié ton vieux fond de cartésianisme proverbial ! T'exiges de savoir comment et pourquoi je me retrouve icigo[1] ?

Comment ? J'hésite à te le bonnir de peur que ça te donne de mauvaises idées. Mais puisque t'insistes, sache que j'ai piqué une Mégane devant un pavtard glauque des bas de Furiani. Puis j'ai changé ses plaques contre celles d'une Focus du centre de Bastia. Il y a gros à

1. *Icigo* : vieux terme san-antonien signifiant icigo.

parier que le proprio de la Ford ne s'apercevra pas de sitôt de la substitution de son immatriculence. Et les flicards chercheront une Renault avec des plaques différentes de celle que j'ai chourée. Comme toutes les idées simples, il suffisait d'y penser.

Ensuite j'ai roupillé sur un parking du port, à l'ombre des ferry-boîtes qui desservent le continent. Oublie la navigation d'antan ! Ces barlus ressemblent plus aux H.L.M. de Sarcelles-sur-Mer qu'aux caravelles de Christophe Colomb !

Un petit jour frais, limpide comme une mouillette de jeune mariée, m'a tiré des plumes. L'orage était parti se faire voir chez les Grecs, via la péninsule italique.

J'ai consacré, mon Sacré Con, la matinée à expédier les affaires diarrhéiques (ou courantes) de mon enquête. Je t'informerai de mes découvertes au fur et au gré de mon bon vouloir, because jusqu'à pieuvre du contraire, si c'est toi qui douilles le bouquin, c'est moi qui le ponds à la sueur de mon fion.

J'ai déjeuné sur le vieux port chez Huguette, l'un des meilleurs restaus de Bastia, d'un plateau d'oursins, les seuls individus dont j'accepte de bouffer les couilles, d'une demi-douzaine d'huîtres de l'étang de Diane et d'une araignée de mer sauce tartare, le tout poussé d'un pinard inscrit au Patrimonio national.

Et me voici donc, en cette journée finissante, à Santa-Pina, sur le parvis de l'église de l'Immaculée-Contraception.

Si tu as été attentif à mes éculubrifications des chapitres précédents, tu te remémores qu'Armand Culpa, alias Crâne pourri, assassin probablissime de Michel Ange, l'amant de Colombina Buonamorte, prétend lui-même être inhumé dans le cimetière de ce petit village. Telle aberrance mérite d'être constatée, n'est-il pas ?

Lesté de mon sac de voyage, je déambule par des escaliers pavés et des ruelles tortueuses. Peintres, potiers, scupteurs, graveurs et musiciens ont restauré les vieilles maisons en pierre de taille pour faire de ce village le haut lieu de la renaissance artistique et artisanale pur-corse.

Nichée en bout de village, la *Casa incantata* constitue un petit hameau à elle toute seule. Son enseigne précise : *Si manghja si dorme si canta* (On y mange on y dort on y chante).

Dans la bâtisse dévolue à la partie hôtelière, je suis accueilli par une blondeur boulotte affublée d'un chemisier blanc gonflé au gaz de ville et d'une minijupe en tergal noir lustrée qui peine à faire le tour de son cul.

Je lui attrique mon sourire 23 bis spécial filles de salles et godiches en tout genre. Ses babines s'enlimacent d'un sourire niais.

– C't' à quel sujet ? qu'elle me demande, sirupeuse.

– Grosso modo, c'est pour dormir, et plus si affinités. J'ai réservé une chambre au nom de Frédéric Charles.

Le temps qu'elle met à consulter son livre de bord suffirait à un Asiatique de base pour traduire *Les Hommes de bonne volonté* en mandchou.

– Voilà ! dit-elle, aux frontières de mon exaspération. Chambre *Secunda*, en principe ça veut dire 2.

– Y a le téléphone, dans la piaule ?

– Ben, bien sûr, à ce prix-là !

– Pour se faire appeler, il faut passer par le standard ?

– Non, parce qu'y a pas de standard. Suffit

de faire le numéro de l'hôtel et à la fin le numéro de la chambre au lieu de 00. Pour vous, par exemple ce serait le 02.

Je plonge mon regard dans le vide intersidéral du sien. Sa crémerie se met à frémir et un bouton de sa jupe se dégrafe.

– Vous n'êtes pas corse, vous ! pronostiqué-je d'un ton de magicien.

– Non, j'suis normande.

Je glisse un pourliche pharaonique dans le bonnet droit de son monte-charge.

– Vous allez donc pouvoir répondre à mes questions.

– P't'être ben !

Elle récupère le bifton, le constate, s'épanouit.

– C'est même sûr et certain !

Je me concentre. Poser la bonne question au bon moment, tel est l'adage d'Albinoni et davantage celui de San-Antonio.

– Pouvez-vous me dire qui occupait la chambre numéro 4, hier soir ?

La môme réfléchit. Ça se traduit par une palpitation des narines comparable à celle du lapin russe interpellé au niveau du vécu par un tronçon de carotte.

– Oui, je peux le dire.

Que je te parfume un peu la comprenette, mon joli. Le coup de bigophone reçu par Corinne Follducq durant nos ébats ne provenait pas de Rennes, mais de la *Casa incantata* de Santa-Pina, j'ai vérifié ; et, j'en suis sûr maintenant, de la chambre numéro 4.

Je double mon obole, côté sein gauche cette fois.

– Qui est ce type ?

– C'est une dame avec beaucoup de cheveux noirs et des grosses lunettes de soleil.

L'info n'est pas sans me troubler, pour faire dans le style de ceux qui écrivent plus qu'ils ne publient.

– Son nom ? insisté-je.

– Mme Follducq. Ça m'a fait marrer parce que mon cousin s'appelle Bolduc.

– Rigolote coïncidence, en effet.

Elle est complètement barge, cette histoire ! Les mecs t'indiquent où ils sont eux-mêmes enterrés, les gonzesses se téléphonent à elles-mêmes et les flics piquent des bagnoles pour échapper à la police ! Le jour où je serai à nouveau plus là, faudra me re-réinventer, non ?

Je remonte à l'assaut, Gloria.

– Cette femme est encore à l'hôtel ?

– Elle a payé jusqu'à après-demain, mais, à mon avis, elle s'est barrée, vu qu'y a plus rien dans sa chambre. C'est pas une perte : elle causait jamais à personne. Pas comme vous...

Le second bouton de sa jupette pète.

– Vous voulez que je monte votre bagage ?

– Pas maintenant, mais à la fin de votre service, vous pourriez passer voir si mes affaires sont bien rangées ?

Je m'affale sur le pucier. Ça détend la viandasse de l'étaler à l'horizontale. La noye passée assis sur la banquette de la Mégane m'a diablement enculosé.

« Enculosé » ! Tu me demandes souvent où je vais « chercher toutes ces conneries », ces mots biscornus, ces tournures bizarroïdes, ces phrases biseautées ? Bien sûr que j'ai un tantinet plus d'imagination que toi ou qu'une tranche de foie de génisse, mais je sais également écouter la déconnance de mes temporains. « Enculosé » me vient d'une femme de ménage qu'on avait à Saint-Cloud, dans notre période pré-hispano-portugaise. Une brave mamie de la Sarthe. Elle portait un nom de maréchal d'Empire – j'ai oublié lequel, mais il me suffirait de faire le tour des boulevards extérieurs pour m'en souvenir. Elle expliquait un jour à Félicie que son neveu était « enculosé » et que le toubib lui avait prescrit des « chaussures encyclopédiques ». Ces expressions font mille fois le tour de la terre, et quand elles te reviennent, tu es persuadé de les avoir entendues de tes propres oreilles (malgré la cire humaine qui les engorge). En vérité, je te le dis, tu les as lues de tes propres yeux (en dépit de la chassie qui les brouille) dans l'un de ces San-Antonio qui enconcombrent mais enorgueillissent ta bibliothèque.

La nuit ressemble souvent à la mort d'un vieillard : elle s'installe gentiment, sans déranger. L'entre chien et loup qui la précède rassure quand il devrait effrayer.

C'est le noir intense qui me tire des limbes. Un instant, je me demande si je ne suis pas devenu aveugle pendant mon somme. N'as-tu jamais éprouvé ce genre d'horrible sensation : te réveiller avec un bras engourdi, par exemple ? Tes doigts ne savent plus remuer, ton épaule a la pesanteur d'un 747 au décollage. Ton corps refuse d'obéir et de se redresser. Ta queue aussi, mais là, t'es plus habitué. Et puis, tout doucettement, le sang irrigue à nouveau tes veines et la gigote te reprend. Pour cette fois ! Mais pense à ceux qui sont restés plombés pour le restant de leurs jours ? Eux dont le papillon des cils constitue désormais l'unique envolée ?

Un cri de chien battu s'arrache de ma gorge et marque mon véritable éveil. Je flanque une pichenette sur le globe de ma lampe de chevet et elle s'allume. C'est l'un des *must* de cet hôtel de charme : les ampoules s'éclairent et s'éteignent sur un claquement de doigts.

Ma tocante annonce dix heures du soir. Des bribes de chants s'élèvent d'un bâtiment voisin, voix pures, exemptes de tout compagnonnage instrumental.

Je lorgne la perruque noire et les lunettes de soleil que j'ai débusquées dans la chambre numéro 4, planquées là où les femmes de chambre ne se hasardent jamais : entre le dos de l'armoire et la muraille, espace généralement réservé aux arachnides de toute toile.

Pourquoi la prétendue Mme Follducq se travestit-elle ? Parce qu'elle est un homme, ou parce que son visage est aussi identifiable que le minois de Laetitia Casta ?

Je te dois quelques confidences. Durant mes pérégrinations bastiaises, je suis entré en contact avec mon ineffable Pinuche. J'ai ainsi appris de bien fâcheuses nouvelles. Marie-Marie n'a toujours pas reparu. Pantaléon aurait été signalé à Carry-le-Rouet, il y a quelques jours, mais il se serait évaporé – en compagnie de Béru, bien sûr. Fraise sur le cake : selon mes vœux, mon fils Antoine a été chargé de l'enquête et les plus hautes instances policières l'ont sommé de m'alpaguer au plus vite et en toute discrétion.

Côté positif, j'ai eu confirmation que la Corinne Follducq, laquelle j'ai sodomisée avec la modération que tu me connais, n'est pas une usurpatrice, mais bien la mère du jeune Loïc, en taule pour vengeance homicide à la prison de Borgo.

Détail non négligeable, l'homme assassiné par le gamin, un certain Ignace Deloyo, est le frère de Colombina Buonamorte.

Ça paraît compliqué, comme ça, mais tu verras : on s'y fait vite. En Corse, c'est simplissime : on est toujours en famille avec celui qu'on va scrafer ou celui qui va vous zinguer. Sinon, les meurtres auraient moins de charme.

Secunda (voix principale), *Terza* (voix de dessus) et *Bassu* (voix de basse) constituent la formation de base des chants polyphoniques corses. Elles se répondent et se chevauchent dans une divine harmonie. Si tu es insensible à *i Muvrini* ou à *Zamballarana*, va donc plutôt t'acheter la compilation rasoir de Mike Brandt ou l'épilation de Linda de Souza !

Je ne puis résister à un prêt d'oreille en passant devant le rade musical. Je colle mon nez à la porte-fenêtre. Trois chanteurs sont accoudés au comptoir, chacun préservant son oreille des interférences dc l'autre d'une main recroquevillée en coquille. Ils sont seuls dans l'estanco, hormis la cruche normande qui leur verse des rasades de pastis, ses gros nibards débardant sur le bar.

La peinture, je m'y suis essayé, la sculpure aussi, à l'occasion, mais la musique, n'est vraiment pas mon fort, ni ma morille[1].

1. Intraduisible hors les Yvelines, San-A fait sans doute allusion à Montfort-l'Amaury, mais va savoir, avec un zèbre pareil !

Et pourtant là, je me sens transporté. Chaque note, chaque vibration du larynx sonne comme une stalactite ou une stalagmite. Écoute un peu, Dunœud : si la pâte à papier est mauvaise conductrice de musique, entonne au moins avec moi les paroles :

« Mamma risponde nun possu
Maman, je ne peux répondre

A e vostre dulente chjame
A vos tristes appels

Troppu miseria aghju à dossu
Sur mon dos pèsent trop de misères

E mi su rode la fame
Et la faim me ronge... »

Ensublimé, je m'éloigne vers le cimetière. Des lambeaux de chansons continuent de m'escorter.

« Quà fermiamo ecco il sepolcro
Arrêtons-nous là : voici le sépulcre...

Il terribile, il più mesto tra i misteri
Le plus terrible des mystères... »

Parvenu devant l'enclos des nécessités, je m'apprête à pousser le portail lorsqu'un individu cagoulé de noir surgit de l'obscurité.

Il me tend la main, je la lui serre, il me bouscule et s'esbigne, m'abandonnant cinq doigts de marbre. Il vient de me fourguer la paluche droite d'un macchabe authentique.

D'aucuns largueraient le paquet-cadeau en poussant des cris d'orfèvre. Moi, je me contente d'enfouiller la main froide et d'écarquiller les grilles du parking à défunts.

C'est à ces petits détails qu'on reconnaît un vrai couillu, ma puce.

Acte III

OMERT' ALORS !

t'en souvient-il des Vacances de Bérurier ?

Abbia paura di i vivi
chi i morti ùn tornanu più.

Aie peur des vivants,
les morts, eux, ne reviennent jamais.

9

– J'ai enfin

tué mon premier Irakien ! disait tout à l'heure
à la téloche un gentil purée de pois écossais
dont tu pourrais faire ton gendre
ou ton quatre-heures, selon tes mœurs.
Ses deux premières victimes étaient des collègues américains
dont il avait descendu l'hélico par erreur.

Les Corses, il faut leur reconnaître ces qualités, savent réfléchir au-delà de leur Q.I. et mourir plus haut que leur Q. Le tombeau de Lénine, à côté de celui des familles du cru, aurait l'air d'une aire à crottes de chiens pour municipalité écolo. La moindre des sépultures ferait pâlir de jalousie le Panthéon, l'église de la Madeleine et l'hôtel des Invalides, pour ne citer que les monuments les plus sobres de la capitale

Ampoulés, prétentiards et rococo, les mausolés sont disposés en ordre dispersé, chacun ayant souhaité la meilleure parcelle ou l'exposition la plus favorable pour y passer sa mort qui est, à n'en pas douter, la phase la plus reposante de l'existence. Parmi ces temples épars, quelques tumulus alignés comme dans un carré d'asperges dessinent des allées.

Un clair de quart de lune maubeuge ses rayons funèbres sur les escarpes de la micronécropole. Cela permet de lire les noms gravés des heureux gagnants du grand loto final. Je constate que certains blazes sont cochés d'un trait à la craie blanche. Ce détail me tracassouillerait encore si je ne repérais, à la croisée des travées, la chapelle dédiée à la famille Culpa, superbe meule de granit du Cantal coiffé d'une rotonde au dôme guilloché.

La dernière ligne des occupants de la place mentionne :

Armand Culpa
12/10/1967 - 32/02/2003

Ne t'affole pas sur l'étrange date de ce défuntage, en haute-Balagne le mois de février est tellement beau qu'il n'en finit jamais.

L'accès à l'édifice funèbre se fait de plain-pied par une porte en fer mastoc. Installée sur une ceinture de chasteté, la serrure qui la défend aurait laissé pucelles toutes les infantes d'Espagne et même certaines de Monaco.

Réflexe : je dégage mon sésame et la crochète en deux coups les grosses. Je m'apprête à investir l'antre funéraire lorsqu'une voix s'élève – la tienne :

« Comment tu peux-t-il utiliser un passe-partout que t'as paumé, cher San-Antonio ? Serait-ce-t'il ton cousin de Padoue qui te l'aurait mirenculeusement retrouvé ? »

Moui biène ! Ça prouve au moins que tu suis !

Mais à question futile, réponse futée : sitôt constatée la paumaison de mon vieux sésame, je me suis empressé d'en fabriquer un nouveau. Je t'ai déjà dit qu'un bout de fil de fer pouvait faire mon affaire, suffit de le tortillonner à bon escient.

Bref : j'entre.

La simple blafardeur lunaire me laisse

entrevoir une silhouette immobilisée entre sol et voûte. J'hésite à sortir mon flingue. Pas longtemps, vu qu'il a disparu de mes vagues. Je renifle que Belphégor me l'a gaulé en me refilant la paluche daubée.

Je dégaine alors ma mini-torche.

Une longue carcasse entièrement nue, pendue bas et court, m'accueille dans le funérarium. Le pinceau de ma lampe m'informe que je suis en présence d'un véritable exécuté des hautes œuvres.

Rosâtre, une langue moirée joue les mirlitons hors de sa bouche. Il a le regard torve et globuleux d'un crapaud-buffle en rut. Son teint de cire et sa posture rigide l'autoriseraient à investir le musée Grévin, entre Béachel et Mireille Mathieu, s'il était assez célèbre. Hélas, il est surtout connu de moi : le cher regretté disparu réapparu n'est autre qu' Armand Culpa, légitime concessionnaire des lieux.

Seulement, il n'est pas mort le mois dernier, mais a été pendu dans les heures qui viennent de s'écrouler.

Une chance pour lui : sa calvitie a cessé de s'étendre. Il est même possible que quelques touffes de tifs repoussent çà et là sous l'impulsion du trépas, et que la mandragore fleurisse à l'aplomb de son prépuce.

En toute franchise, si je ne m'attendais pas à le trouver gentiment allongé entre quatre planches, se laissant tailler la bavette par les asticots, j'escomptais à tout le moins sa tombe vide. C'est assez le genre du pays que les mortibus continuent à cavaler.

Inutile d'avoir pris des cours de médecine légale pour piger que l'ex-maître d'hôtel a été tortrituré. Son buste est consterné de brûlures (Béru dixit) et on lui a sectionné les tendons des jarrets et des coudes. Aucun mortel en vie ne saurait supporter pareilles douleurs. A-t-il parlé ? Sans doute, mais avait-il quelque chose à dire ? Et à qui ? Et pourquoi ?

Et merde !

En fait, ce qui me déboussole le plus, c'est de lui constater les deux pognes entièrement intégrales.

A qui appartient donc celle que le cagoulé m'a fourguée ? J'envisage de la dévisager lorsqu'une sirène de gendarmerie retentit, grandissante dans un lointain très proche (j'espère que t'apprécies mes tournures à leur juste valeur).

Règle Une, quand on est flic : prendre le suspect en flagrant délit. Règle Une, quand on est fuyard : ne jamais se laisser choper sur le lieu d'un forfait. Moralité : je drope hors le home des Culpa. Pour aller où, mon gland ?

Une bétaillère à pandores vient se placer en travers du portail du cimetière. Vociférations, balais de loupiotes mieux qu'au Lido ! Je sais les képis moins crétins qu'on ne les décrit et ne les décrie. Dans cet enclos, ils ne me rateront pas. A la façon des bêtes traquées, je cours me réfugier au plus loin de mes chasseurs, donc dans le coin opposé à l'entrée. Je m'accroupis derrière un relief de roulotte tenant lieu de stèle à un manouche dont l'inhumation fut l'unique forme de sédentarisation (t'as vu comme c'est débile et beau quand je veux faire ?).

Les lueurs dansent la salsa, con-verge de manière sue-bite dans ma direction. Écrevisse éblouie par son braconnier, je ne puis que me rendre corps et pinces. Tu me vois guerroyant contre la maréchaussée après tant d'années de bons et aloyaux services ?

A l'instant même où un jet de lumière me va déloger, une explosion retentit en contrebas du cimetière : boum !

Volte-face des gendarmes. Ils refluent en désordre : « Encore boum ! La routine, toujours la routine... »

T'avoueras que miss Baraka s'est penchée sur mon berceau plus tôt que la fée Chkoumoun, non ? Le problème, avec la chance, c'est qu'on s'y habitue et qu'à force de compter sur elle, on compte moins sur soi. Alors on laisse agir les autres et le temps, qui sont nos pires ennemis.

– Viens ! me chuchote une voix d'outre-tombe dans la pénombre. Viens !

Un petit bonhomme d'âge incertain, maigrelet comme un ténia désarmé, me fait signe de le suivre d'un index crochu.

– N'aie pas peur !

Le type s'avance. Comme beaucoup de ses génères (si je dis con, je risque de me faire flinguer), il a le cheveu rare, le nez brusqué, la bouche dépourvue de lèvres.

– J'ai balancé une grenade dans la colline pour chasser les perdreaux, dit-il en ménageant peu son accent autochtone.

– Pourquoi avez-vous fait ça ?

– Pour ma tranquillité personnelle.

Il bat du briquet et rallume un mégot renrobée de papier maïs. Dans ses billes, les flammes allument des escarbilles.

– Viens ! Je t'invite.

Cédant à sa mâle assurance, je le suis. Il m'entraîne dans un caveau presque jumeau de celui des Culpa. Et là, je reçois un électrochoc dans la moelle pépinière (toujours Béru dixit). Le local mortuaire a été aménagé en pièce à vivre. Un tapis de laine bouclée recouvre le sol, dissimulant les dalles d'accès aux tombes. Deux chaises et un guéridon occupent le centre. A gauche, un divan recouvert d'un plaid d'Égypte (en poils de chameau). A droite, une étagère supportant un réchaud Butagaz, quelques ustensiles culinaires et un antique poste de TSF.

– Vous vivez là ! m'exclamé-je-tu.

– Hè ! Mes tantes ont hérité du bord de mer, à l'époque, ça ne valait rien, c'était juste bon pour les filles. Aujourd'hui, elles ont monté des campings dans les calanques et leurs gendres se font des couilles en or ! Moi, j'ai un neuvième de la maison du village et trois onzièmes de la bergerie. Tout ça par indivis. Alors j'ai racheté la concession familiale. Et j'y suis bien.

L'étrange personnage me désigne une chaise et me sert une rasade de gnole.

– Goute-moi ça, petit. C'est de l'arbouse distillée dans le maquis en 1999 par mon propre cousin. Et ce cousin, parole, je me serais fait tuer pour lui si je n'avais été obligé de le tuer d'abord. Une histoire de famille. Comment tu la trouves, cette eau-de-vie ?

Je torche une larme vitriolée au coin de mon œil.

– De quoi ressusciter un mort ! Ce qu'il fallait pour me requinquer.

Je lampe une resucée de son tord-boyaux avec l'expression extatique d'un sommelier évaluant un Yquem 1921.

– Ça fait longtemps que vous habitez ici ? demandé-je, l'air de ne pas y toucher.

– Un certain temps, répond-il, méfiant.

– Vous avez donc connu Armand Culpa ?

Le zigue se contracte comme une huître quand on lui titille la pointe des seins avec une goutte de citron.

– Qui ça ?

– Votre nouveau voisin.

– Tu sais, ici, on se fréquente peu.

– Il a été inhumé le mois dernier, vous devriez vous en souvenir ?

– Maintenant que tu me le dis, c'était en effet une belle cérémonie.

– Je viens de le trouver dans son caveau, pendu frais du jour.

Le vieil homme me ressert un gorgeon d'eau-de-mort.

– Un coup de déprime, peut-être. La nostalgie de se savoir *ad patres*, fait-il sans même sembler se foutre de ma gueule.

– Il n'a pas été exécuté à l'anglaise. Je crois qu'on l'a interrogé d'abord.

– Les gens ont le droit de bavarder.

– Il a même dû crier très fort.

– Nos chapelles sont insonorisées.

– Vous ne voulez pas m'aider, quoi !

– Je t'ai aidé, petit, en éloignant les gendarmes. J'écoute leur fréquence. Un appel anonyme leur indiquait la présence d'un pillard dans le cimetière.

– Je vous en remercie, mais vous ne pouvez pas m'en dire un peu plus ?

– Te dire quoi ? Je ne sais rien de rien et sur personne. Et même si je savais quelque chose, ça servirait à quoi, que tu le saches aussi ?

J'avale mon verre cul sec et front moite. Je me lève.

– Je m'en vais vous laisser. Rassurez-vous, j'ai déjà oublié votre existence.

– Je ne suis pas inquiet.

– Peut-être pourriez-vous répondre à une ultime question : que signifie ces marques à la craie blanche sur certaines tombes ?

Il hoche un bon moment la tête avant de répondre.

– Ça, c'était pour les dernières élections. On coche ceux qui ont déjà voté. Il ne faut pas que les morts votent deux fois, ça ne serait pas correct.

Au moment où je m'apprête à quitter son tombeau, il me crochète le bras.

– Les Corses sont tranquilles, courtois et fiers, ils ne vous tuent jamais sans une bonne raison. Armand Culpa, lui, a été torturé et estourbi par son meilleur ami. C'est pas bien.

– Aurait-il un nom, ce meilleur ami ? demandé-je, sans espoir de réponse.

Il me fixe droit dans les châsses. Impossible cependant de lire le moindre sentiment dans son regard.

– Méfie-toi de ton fils et redoute ton père, me dit-il.

– C'est un conseil ?

– Un proverbe.

Est-il le vieux brindezingue qu'il paraît, ou un batelier des Enfers ?

Sous le premier lampadaire, à la sortie du cimetière, je me décide enfin à examiner la main larguée par l'homme à la cagoule. Elle me paraît soudain bien fragile.

Une main de femme !

Un homme me l'ayant tendue, je l'ai prise pour une main d'homme. Mais elle si menue...

Le rythme de mon cœur s'accélère...

Non, ce n'est pas la main de Marie-Marie ! Je l'aurais reconnue au simple toucher.

Mais cette bague trois anneaux Cartier, portant gravé le nom d' Antoinette, aucun doute possible : c'est le cadeau de Félicie à Marie-Marie lorsqu'elle a appris qu'elle l'avait rendue grand-mère.

Comment expliques-tu que la musaraigne égare tous ses bijoux, au fil de cette aventure ?

J'ôte délicatement la triple alliance et la glisse dans la pochette de ma chemise. Mais que faire de la relique manucurée ? La balancer dans le fossé ne serait guère chrétien et serait même indigne d'un flicard. La conserver par-devers moi (pardon, Machin, de piller ton style) ne serait pas idoine non plus en cas de contrôle.

Plongé dans l'expectative – je préférerais dire que j'« expecte » mais puis-je passer ma vie à peigner le dictionnaire ? –, je rebrousse chemin vers la *Casa incantata.* Je dévale le dédale pavé lorsqu'à la croisée de deux ruelles je retrouve mon cagoulé. Il est assis sous un porche, tassé sur lui-même, le dos roman, un chouïa plus canné qu'une chaise en rotin. Un petit malin lui a flanqué une bastos dans la nuque.

Je lui ôte sa cagoule en me gaffant de ne pas m'asperger de raisiné. Malgré l'obscurité, je reconnais le second des deux motards de l'aéroport. Un ado, presque un pré-. Il a été exécuté de la même manière que son pote dans le minibus. Il semblerait que le parrain (ou la marraine) à la cagoule brodée de rouge soit en train de faire le ménage.

Qu'a-t-il (elle) fait de Corinne Follducq après l'avoir enlevée ? Est-ce ce type (ou cette femme) qui a torturé et pendu Armand Culpa ?

Je fouille le cadavre à la recherche du pétard qu'il m'a piqué et que j'avais, rappelle-toi-zan, subtilisé à son complice après qu'il eut glissé sous le minibus.

Macache !

Joue pas ta chemise si je te parie que c'est avec ce calibre qu'il vient d'être buté.

Donnant donnant, je lui rends la main morte.

Tira più un pelu di donna à l'insù
ch'è dece boi à l'inghjo.

Un poil de femme tire mieux vers le haut
que dix bœufs vers le bas.

10

Essaie

de décompter les victimes
depuis le début de cette histoire corse,
et t'auras peut-être envie
de t'engager chez les Corned Beef !

Quand je débarque à l'hôtel, toute la casbah est en émoi. Une douzaine de badauds badent devant ma chambre d'où s'évadent des grognements de truie et pourceau d'Épicure en coït ininterrompu.

Les chanteurs polyphoniques sont massés là, accablés par l'incapacité d'accompagner a cappella la sonate pour Dunlopillo qui se joue en deçà de ma porte. Un colonel en retraite, venu incognito en ce gîte de charme toucher le pipi de sa nièce, démonte de toute urgence la rosette de sa légion d'honneur. Mais il résiste, le petit rondin de jambon, et le vieux est obligé de déchiquer son revers. Qu'on le surprenne en lieu de turpitude, soit, mais que jamais la plus haute distinction décernée par la patrie reconnaissante vienne à être souillée !

Dans ma piaule, la porcelette couine de plus belle. Fan de Cabrel, elle proclame : « Je jouissais, je jouis et je jouirai encore ! »

Une femme rondelette, dont la guêpière barde admirablement les capitons, trépigne de frustration sur le palier. Sa cellulite cinquantenaire tremblote comme un flan à la vanille servi par un maître d'hôtel parkinsonien.

– C'est toujours les mêmes qui s'envoient en l'air ! proteste-t-elle. Moi, j'en veux aussi ! Y a pas de raison ! J'fais pas don de mes œstrogènes à la science ! Je veux que mes dernières gouttes de folliculine me servent à prendre un pied géant !

– Regagnons notre nid d'amour, Chouchoute, propose son mari, un maigrichon en caleçon flottant, davantage distendu par les lavages à répétition (incontinence oblige) que par des érections en rafale.

– T'es bon à rien, Lucien ! La dernière fois

que j'ai pris un vrai panard, c'est avec le gode de ma copine Josy, qu'a jamais de défaillance, lui, pour peu qu'on change les piles à temps. Si tu veux me faire enfin un beau cadeau, sors ton chéquier et va m'acheter la bite d'à côté. Je sens que la fille commence à faiblir. Je vais lui prêter chatte forte. Il existe bien des mères porteuses, moi je me sens une âme de recueilleuse de sperme. Y a des missions comme ça dans la vie auxquelles on n'a pas le droit de se soustraire. Déjà que j'ai raté le voisin de la chambre 4 !

Soudain, cette vieille taupe m'intéresse. Je l'attire à l'écart.

– Je croyais que l'occupant de la chambre 4 était une femme ?

– En apparence, oui, perruque et lunettes noires, sûrement pour m'échapper ! Mais c'était bien un mec. Nos salles de bains sont contiguës et les trous de serrure larges comme des passe-plats dans ces vieilles bastides.

– Quel genre d'homme ?

– Bien monté.

Elle applique furioso sa paluche sur mes avantages en nature.

– Tout à fait votre genre !

– Et son visage ?

– Moins excitant que le vôtre. Un rien chauve, si vous voyez ce que je veux dire...

Je tire mon calepin et lui montre le portrait du maître d'hôtel pelé, désormais pendouillé, que j'ai croqué naguère à l'intention de Viviane l'Antillaise.

– Lui ? questionné-je avec une sobriété de langage qui n'est pas forcément mon apanage.

– Tout craché !

Elle se jette à mes genoux et fait jaillir ses seins hors des bonnets de sa guêpière.

– A propos de cracher, ça vous dirait une branlette espagnole, pour patienter ? Ou la cravate de notaire, avec un coup de panais baveux sur les burettes et le coquelicot ?

L'époux au calbute tristounet tente de la raisonner :

– Tu vois pas que tu importunes Monsieur, Chouchoute ?

Mais les ululements orgastiques dans la pièce voisine ont raison de la sienne (de raison). Elle s'accroche à ma taille et frictionne sa laiterie contre ma braguette, exultant et bouillonnant par tous les orifices.

L'arrivée du dirlo de l'hôtel, homme de prestance mandé de toute urgence, met un terme à la panique générale. Sans élever la voix, mais d'un ton qui endigue toute protestation, il ordonne à ses musicos de retourner au bar se dérouiller les cordes vocales, à la nympho de remiser ses attributs et à chaque couple de regagner sa piaule. Le calme renaît d'autant que le concerto en pute majeure vient de cesser, cédant la place à une symphonie de soupirs.

– Vous êtes le locataire de la chambre *Secunda* ? me demande le gus.

– C'est à se demander.

– Que s'y passe-t-il donc ?

– Je l'ignore, rentrant juste d'une promenade nocturne.

– Dans nos villages, les gens n'aiment pas être dérangés.

– Je suis désolé pour ce tintamarre, mais...

Le type vérifie que nous sommes restés seuls dans le corridor.

– Je ne vous parle pas de cet incident, murmure-t-il. On aurait aperçu des hommes encagoulés dans le secteur. Pas de vrais indépendantistes, mais des malfrats décidés à mettre la Corse en coupe réglée.

– Qui êtes-vous ?

– Personne. Ou alors, disons... un simple artiste qui rêve de voir un jour son pays s'exprimer librement. Hélas, je crains que nous soyons aussi peu capables d'autonomie que de soumission. A force d'accepter les compromissions, d'implorer les exceptions, de mendier les subventions, on en oublie sa dignité. Difficile de trancher la main qui vous nourrit.

– Votre peuple est certainement capable d'un sursaut.

Il libère un ricanement de dépit.

– Pour sursauter, il faut avoir peur, et un Corse n'a jamais peur ! Mais vous, méfiez-vous : des racontars circulent déjà sur votre compte.

– Je ne cherche à nuire à personne.

– Ce n'est pas une raison suffisante. Ici, certains pratiquent la légitime défense préventive. Si jamais vous leur semblez constituer une menace... Soyez vigilant !

– Dois-je vous dire merci ?

– Attendez d'être de retour sur le continent, avant de vous sentir redevable envers un Corse.

La porte de ma turne s'ouvre, et la boniche normande sort en rajustant sa mise en plis. Elle tressaille en nous apercevant.

– Que faisiez-vous, Karène ? gronde le patron.

– Je... j'étais venue faire la couverture à Monsieur, bredouille la gourde. Y avait personne.

– C'était quoi, ce barouf ?

– J'ai allumé la télé, je m'ai assise sur le lit et puis je m'ai endormi. C'est le son d'un film brouillé porno d'Anal + qui m'a réveillée !

– Venez à mon bureau, on va s'expliquer ! tempête le boss en tournant les talons.

La fille le suit, penaude. Son gros cul a eu raison des dernières agrafes de sa jupe de service.

Une déflagration foudroyante, aussitôt mariée à une effroyable puanteur, me réceptionnent *in the bedroom.*

Un seul sphincter au monde est capable d'une telle flatuosité !

Hè megliu à more
ch'è vive incù a vergugna.

Mieux vaut mourir
que vivre dans la honte.

11

– Que penses-tu

de la nouvelle guerre du Golfe ? demandé-je à Béru.
« Moi, j'me bagarrerai jamais pour l'golf, l'tennis
ou l'polo, c'est des sports de gonzesses, tout ça ! »
– Et Saddam ?
« Éventuellement, j'y en mettrais un coup, à sa dame,
si elle s'lave pas trop l'cul avant. »

Le Gravos est allongé sur mon pucier, les bras repliés derrière la tête sous ses gros tifs graisseux. Son épaisse tignasse constitue le meilleur isolant entre son cerveau et sa pensée. Il porte son maillot de corps du premier semestre, mais la portion sud de son académie est entièrement dénudée. Entre ses cuisses velues et couturées évoquant le train arrière d'un sanglier sur un étal de Rungis, son cobra destructor s'amollit à pas lents.

– Ah, la salope, faut pas y'en promett', cré bon gu ! grasseye-t-il. C'est toi qu'è cherchait. A tâtons dans l'noir, elle est tombée sur ma queue, alors, forcément, on a sympathisé ! Si j'te dirais qu'on vient du même bled ou presque : elle est d'Saint-Locdu-sur-la-Glère. Tu sais qu'en r'montant son arbre gynécologique, j'mais aperçu qu'dans l'temps, j'avais déjà baisé sa tante, la Julienne, qu'avait un bec de lièvre et un tablier de sapeur comme un chat en-gros-rat ! Marrant, la destinée du hasard ! Si j'm'attendais à r'trouver une payse dans c'patelin de Morts-y-causent. Autrement sinon, rien d'espécial ! Ah si, ma Berthe fait la grève de la faim...

– Pour quel motif ?

– Pour maigrir, c'te bonne blague. Comme è rentrait plus dans ses fringues, elle a déclaré l'étretat d'urgence. Elle avale plus rien ! Même la fumée d'ses pipes, elle la r'crache, c'est t'dire !

– Et à part les turlutes de ta baleine, t'as rien à me raconter ?

Le Mastard se lève en ahanant, enfile un slip haillonneux et grisaillé dont une léproserie ne voudrait pas comme serpillière. Cette gymnastique entraîne une embardée qui s'achève dans l'armoire dont la porte décorée de motifs champêtres explose sous la charge.

– Mais t'es beurré ! m'exclamé-je.

– Pas encore, mais ça peut viendre...

Alexandre-Benoît attrape un litron de rosé à-demi vide (je suis pessimiste de naissance) et dépourvu de goulot. Il s'en téléphone le reliquat, largue la bouteille et se laisse à nouveau choir sur le paddock.

– Quand j'sus t'arrivé dans c't'aubergine, j'ai débarqué d'vant une baraque où ce que des mecs chantaient en duo-des-nonnes et tri-homme-verrat comme si z'ap'laient leurs biques dans la Sierra flagada.

Pour bien me faire piger le contexte, Béru se masque une portugaise et pousse une beuglante de clodo testant l'acoustique du pont Neuf. Ça donne à peu près :

« Hééé Hiiiii Yaaaa Ouaiiiéééé ! » (tu sais que je suis un auteur éminent pour ce qui est de la bande çon ?)

– Boucle-la, nom de Dieu ! Tu vas ameuter la garde.

L'Immonde suspend son solo.

– Remarque... C't'assez joli, comme bastringue. Et pis les mecs, y s'relayent : y en a toujours un qui picole pendant qu'les aut' poussent la cansonnette. C'est qu'y faut pas qu'y se marchent sur les arpions quand y font un canon. Brèfle, n'a propos d'canon, c't'était pas prudent d'aller m'accouder au zinc, alors, vu qu' j'avais soif quand même, j'ai chouré un'caisse d'vin rosé dans la courette su'l'côté. Cuvée du Président ! Ça peut pas faire de mal.

– Tout dépend du président. Ensuite ?

– N'ensute ? J'ai r'péré la réception, aussi vide qu'les burettes à Alfred quand il a fini d'coiffer Berthie, ton numéro d'piaule et la clé pour m'y introniser en douceur et volupté. T'étais pas là, t'as dû l'remarquer, alors j'm'ai allongé en t'attendant, et tu connais la Suisse.

– La Suisse ?

– J'veux dire « la suite », mais j'savonne un chouye, rapport au pinard du Président.

Le regard de Sa Majesté Biture ressemble à l'étiage d'une cuvette de chiottes quand t'as poussé trop fort. En héraldique, on dirait « de sable sur fond de gueule », je vous laisse traduire à l'attention de mes lecteurs, baron Seillière.

Je récupère la boutanche décolletée, vais l'emplir d'eau fraîche à la salle de bains, et en virgule le contenu dans la frime de l'Effroyable.

– Tu pourrais peut-être enfin me dire comment tu es arrivé ici ? rouscaillé-je.

Il s'ébroue, joue des castagnettes avec son clapoir et glougloute du siphon.

– N'en fait, c'est grâce à Pinuche que j't'ai r'trouvé. Y m'a dit où c'qu'tu créchais.

Je vais m'asseoir près de lui et l'attrape par ses épaules de mameluk. La manière douce se révèle toujours plus efficace lorsqu'il affiche une beurranche de haute magnitude.

– Mon Béru, aux dernières nouvelles, tu étais un évadé malgré soi de la centrale de Fresnes en compagnie de Pantaléon Buonamorte. Alors, ma question est légitime : comment te retrouves-tu libre, ici, au fin fond de la Balagne ?

Il secoue la tronche, un rien hébété, se tortille, hésitant entre un rot et un pet. Ayant peu mangé ni ingurgité de boisson gazeuse, il se résout à bâiller.

– C't'une drôle d'histoire, Sana. Pendant

qu'tu t'la coulais douche, moive, j'effrontais les pires canailles qui soaille !

– Raconte.

– J'sais pas comment j'm'ai sorti vivant d'l'attaque du fourgon cellulite ! Même les potes qu'ont fait la guerre d'Algébrie z'ont jamais essuillié une embruscade tant t'aussi vérolente ! Ça canardait toute Asie-pute !...

Étant un auteur scrupuleux peu enclin à tirer à la ligne, je t'épargne ce que tu sais déjà des péripéties béruréennes : la traversée vers la Corse, l'implacabilité de Situcci Paoli, la planque dans la bergerie des frères Collera – pour t'en venir à la fuite d'A.B.B. en compagnie de Buonamorte. Rendons-lui le crachoir, tu verras, ça en vaut la peine :

– ... J'pouvais indécemment pas laisser Pantalon repasser le p'tit Doumé, même si c'môme vaut moins qu'un mollard d'tuberculeux ! Question d'principe ! Dans l'feutre d'l'action, j'aurais pu y faire sauter la calbombe moi-même, sans cul férir. Mais d'sang froid, j'pourrais pas m'résolver à buter un gamin si y a moyen d'moyenner autrement. Mon côté romantique, p't'être ?

« C'dont j'regrette le plus, c'est l'Opinel qu'l'onc' Saturnin avait l'même et m'aurait fait cadeau sans son infractus du cancer. Tiens ! Encor'un qui s'l'était faite, la Julienne ! Faut dire qu'à part mon cousin Jean-Phil, çui qu'est entré au p'tit séminal pour d'v'nir cureton, toute la famille l'a grimpée, c'te pauv' fille.

« N'en revenir à Pantalon, il avait les copeaux de Situcci. Y se doutait qu'en f'sant appel à lui, il pr'nait un gros rixe et qu'il allait r'cevoir l'addition. C'type est capab' d't'obliger à aiguiser le poignard qu'il va t'trancher les jaculières avec ! Et d'te faire faire la gargouille !

– C'est quoi, la gargouille ?

– T'pisser dans la bouche pendant qu't'en finis pas d'agonir !

– C'est un poète, ce Situcci Paoli !

– Alors tu comprends qu'on a mis les adjas ensemb', Panta et moi. Si tu saurais l'cavalaire qu'j'ai vivu su' les ch'mins où qu'il m'a embringué dans le marquis et la garriguette ! J'en navet la menteuse qui nettoyait mes pompes. Chaque fois qu'on descendait, j'pensais qu'on arriv'rait quèque part, mais à chaque fois fallait r'monter, redescendre et r'monter z'encore. L'enfer sur la terre, parole d'honneur !

« N'a un moment, on navet tellement faim, surtout moi, qu'on a bouffé des asperges sauvages, et pourtant les légumeries, c'est pas ma tasse d'été. Elles z'ont beau êt' minus, ta pisse pue autant qu'avec les grandes.

« Brusquettement, nous v'là sur une route à se flatter, consternée d'nids d'poules. Un bruit d'moteur, deux virolos plus bas. Pantalon m'dit d'me coucher su' la chaussée et d'chiquer les grands accidentés. Manque de bol, c't'une quatre-ailes d'gendarmerie qui rapplique a'ec deux pandores à bord. Ces couillons quittent leur bagnole de service pour m'apporter s'cours.

« L'vieux bandit bondit et m'rente son Beretta dans l'creux d'l'oreille comme si j'serais son otage, et réquisitionne leur poubelle. Les gendarmes le r'connaissent et z'obéissent aussi sec. L'plus gradé s'escuse même comme quoi fallait les prévenir avant d'traverser la route, ils s'raient aller s'occuper ailleurs ! D'autant qu'ils recherchent d'puis l'automne un dangereux voleur d'châtaignes qui sévice dans la région. Un vrai méchant qu'hésite pas à fabriquer d'la liqueur de marrons sans avoir la liscience ! V'vous vous rendez compte ? Sans être licencié !

« M'a obligé d'les ligaturer autour d'un arb' de bois en contrebasse d'la route, et pis d'les bâillonner. C'dont j'ai fait a'ec mes chaussettes. Ils se sont t'nus sages, les gendarmes, croive-moi. Y en a même un qu'a tourné d'l'œil à cause des mouches !

« On a roulé jusqu'à un pat'lin qu'a un nom d'purée mousseline, j'me souviens plus d'la marque. Panta y a rencontré un péquenot, éleveur d'cochons sauvages. Pour de vrai, ses cochons sont des porcs comm'moi ou moi, mais y vivent en liberté et on en fait du pâté d'sanglier. Paraît même qu'certains él'veurs achètent d'la charcutaille dans l'tiers-monde d'l'Italie et l'a r'vendent en produits régionaux, rien qu' pour pas tuer leurs bestiaux. Moi, j'appelle ça d'la sensiblerie – ou d'l'arnaque, faut voir ?

« L'type a r'filé sa bétaillère à Panta, plus tout l'pognon qu'il avait dans son morlingue, sans une menace, sans rien ! Il a même promis d'détruire la caisse des bourdilles jusqu'à ce qu'on la r'trouve jamais. J'ai cul comprend' qu'un cousin de Pantalon lui avait fait obtiendre du pognon de Bruxelles qu'il avait pas forcément droit, rapport à son él'vage d'gorets. Mais ça, c'est pas nos oignons, faut admett' ! Alors nous v'là partis a'ec un charg'ment d'cochonous dont la plupart, rondelets, rose tach'té de noir, m'donnaient envie d'les croquer sur pieds.

« Pantalon voulait qu'on allasse vers Ajaxio où c'qu'il avait des aminches capab'd'l'protéger cont' Situcci d'abord, pis de le flinguer après. Il souhaitait surtout r'trouver sa femme. C'était conv'nu d'avance : sitôt qu'y serait air liberté, elle l'attendrait dans un appart' d'une rouelle discrète, près d'la place des Palmiers. Etronina, qu'elle s'appelle, sa mousmée !

– Colombina ! interviens-je.

– Etron, colombin, j'savais qu'y avait un nom de merde à la clé. Pourtant, j'ai vu sa photo, c't'une jolie gonzesse !

– Je connais également son portrait. Elle est belle, en effet...

Alexandre dodeline, morose.

– T'as raison, ouais : trop belle pour lui !

– Il n'a jamais manifesté la moindre jalousie

à l'égard de sa femme ? Après huit piges d'incarcération, il ne se demandait pas si elle lui aurait fait du contrecarre ?

– C'est pas l'genre à étaler ses cocufiages, Pantalon. Il est sympa, mais c't'un truand ! Un n'enfouaré d'assassin ! Un Corse, quoi !

– Qu'est-ce que tu déblatères ?

– Tu veux qu'j'soye franc a'ec toi ? La Corse, elle serait quand même mieux sans les Corses ! L'pays, c'est l'plus beau qu'existe au monde, peut-êt', mais ses habitants y s'en rendent même pas compte ! Ou alors, ils l'estiment encore plus mieux qu'il naît ! Et pis, y sont arsouilles, tu peux pas savoir ! Panta m'disait qu'les pêcheurs, y z'achètent du poiscaille surgelé en grand' surface, y partent faire un tour dans la rade, le temps qu'ça dégèle, et y rentre au porc vend' leur pêche toute fraîche aux touristes ! Si j'étais quèque chose au gouvernement, j'm'arrangerais pour qu'cette putain d'île obtenasse son indépendance. Ça nous ferait ça de moins à payer, nous aut' les bons cons tribuab'. Y's'démerdraient entr'eux, s'laisseraient bouffer par les mafieux, les Ritals ou les Amerlocks ! On n'aurait moins de décharges sociables à carmer et on n'irait là-bas en vacances, pénards, sans craind' d'se faire péter la gueule par un'bombe ! V'là le tréfinfonds d'm'a pensée, Sana. Et la majeurité des Français, ils pensent pareil comme moi.

– Tu raisonnes en blaireau, Béru !

– Normal : j'suis un blaireau ! Et à c'titre-là, mon blair tonique a fonctionné. J'peux te dévioler où c'que Lilian Collera se planque : dans un' bergerie d'montagne. Ses frangins l'ravitaillent grâce à un' chèvre, très belle, d'ailleurs. C'fumier est r'cherché par toutes les polices d'Anatole France et d'l'Avare d'puis quatre piges. Et moi, brave Béru, bon blaireau, j't'offre de l'arrêter quand tu veux, comme tu veux !

– Je n'ai jamais douté de tes qualités de flic, Gros. Mais Collera, laissons-le dans sa mouscaille. Sa liberté actuelle lui est sûrement plus pesante que n'importe quelle détention.

– Il a quand même flingué un haut factionnaire d'une bastos dans l'dos ! C't'un meutrier.

– Présumé ! Meurtrier présumé...

– Tu penses à la veuve et aux z'orphelins ?

– Bien sûr que j'y pense, mais il y a des cas où les victimes n'ont rien à gagner à être confrontées avec leur bourreau. Lilian Collera sera arrêté un jour, quand ça arrangera le gouvernement. Il aura été balancé, mais pas par nous.

Le Mastard tente de s'assujettir sur ses deux pattes en s'appuyant contre la muraille.

– C'est bizarre c't'habitude qu't'as d'défendre toujours les négros, les bougnoules, les métèques, les rastacouères, les basques ou les corsicos, ironise-t-il. C'est parce qu'ton père était savoyard ?

– Savoisien ! rectifié-je. Papa affirmait que Savoyard était un terme péjoratif construit par les Français sur le modèle de communard, soudard ou pendard pour désigner les autochtones de la Savoie. Je ne crois pas que l'appartenance de mon dabe à cette région ait quelque chose à voir avec ma conception de l'indépendance des peuples.

– Toutes ces conneries, ça m'donne soif !

Il soulève le drap bouchonné au pied du lit, dévoile une caisse de vinasse dont deux bouteilles sur six demeurent encore valides.

– Un peu tiédasse, c't'encore meilleur, l'rosé. Ça pèse moins sur l'estogome et ça grimpe plus vite au ciboulot.

Alexandre sort un Beretta de sous son oreiller,

le chope par le canon. D'un coup sec et précis, il fait péter le goulot de la boutanche.

– Voilà ! Sans tire-bouchon, y a qu'une solution : sabrer !

– T'es louf ! L'impact aurait pu faire partir le coup.

– Pas d'danger, les bastos sont à blanc. C'est même c'ski a mis la punaise à l'oreille d'Pantalon. T'en veux un coup ?

– Sans façon.

– Paraît qu'il existe des millions d'galaxies habitées et y m'arrrive encor' d'êt'seul pour trinquer !

L'Infernal se téléphone une cataracte de picrate en éructant et borborygmant de plaisir.

– Si ça vaut pas une douche ou un suppositoire, c'nectar de v'lours en culotte de P'tit Jésus !

Je lui arrache la boutanche des paluches. Si mon éditeur m'offrait un écran au plasma en sus de ses cahiers de papelard, tu constaterais de visu mon extrême pâlitude.

– Quoi ? réaligueulé-je. Tu as obéi à Buonamorte sous la menace d'une arme que tu savais sans risque ?

L'Enflure se déballonne.

– Attends ! Il avait aussi sa Raskolnikov en brandouillère.

– Sa quoi ?

– La mitraillette, celle piquée au p'tit Doumé.

Je bouillonne mieux qu'une gamelle d'alpiniste anglais préparant sa *last cup of tea* avant l'assaut final de la face nord de la Butte aux Cailles.

– Je rêve ! T'as ligoté et bâillonné des gendarmes au lieu de leur livrer l'ennemi public numéro 1 !

– J'ai voulu éviter l'infusion d'sang ! objecte Alexandre en détournant son regard du mien.

– Tu veux me faire croire que t'étais pas assez costaud pour neutraliser ce type armé d'un pistolet fantoche ? Même avec une kalachnikov accrochée à son dossard, c'était dans tes cordes ! Tu me caches quelque chose...

Son Altesse pique du groin.

– Écoute, Tonio, j'ai cru bien faire en l'soustractant aux flicards officiels, marmonne-t-il.

– Pourquoi ?

– Ben, dans ton intérêt.

– Comment ça, mon intérêt ?

– A cause de... de tes magouilles !

– Quelles magouilles ? Je comprends rien à ce que tu me blatères !

Le Gros frictionne sa barbe, hirsute du croisement entre une bogue de châtaigne et un oursin pubère.

– On dirait qu't'es pas au parfum !

– Au parfum de quoi, bordel ? mugis-je tel un bovin imitant un paquebot de pré salé.

– Suite à des rumeurs d'évasion, la cellule d'Pantalon a été mise sur étable des croûtes. Tout c'qu'il dégoisait était enr'gistré à son insulte.

– Et alors ?

– J'ai pas tout bien pigé, mais ton blaze est v'nu sur l'tapis. C'est là qu'on a décidé d'm'envoyer comme mouton de Pantalon.

– Vous auriez pu me tenir au courant !

– T'avais pris une semaine tabagique pour enfiler l'parfait amour a'ec Marie-Marie. On voulait pas t'déranger !

Je serre les poings à m'en fracturer les métacarpes.

– Me penses-tu vraiment capable de fricoter avec un tueur ?

Plus mal à l'aise que lui, tu agonises dans l'hélico du SAMU.

– Moi, non, j'sus d'la vieille école ! Mais les jeunes flics d'aujourd'hui, pus rien les étonne !

– Ne me dis pas que tu parles de...

– J'parle de rien, moi !

– Ah, non ! Tu vas pas te mettre à m'jouer l'omerta, toi aussi ?

– Alors arrête d'me poser des questions idiotes !

– A un idiot, on ne peut poser que des questions idiotes !

Je shoote dans la caisse de pinard, pulvérisant le dernier litron.

– Comment as-tu pu croire un instant à ces ragots de taulards après tout ce qu'on a vécu toi et moi, les dangers qu'on a affrontés, les tortures qu'on a endurées ensemble, la mort qu'on a narguée si souvent ?

– J' y croye pas, mais...

– Mais t'as des doutes ! Après tout, peut-être bien que ton pote de toujours bouffe à la grande gamelle de Messieurs les Hommes ? Qu'il croque en doucedé du pain de fesse, de la blanche, des trafics et braquages en tous genres ? Putain de merde, il n'y a rien de plus désespérant que de confier son amitié à un minable !

Il éclate en sanglots gluants comme de la vaseline dont les gouttes ravinent la crasse de ses bajoues.

– Pleure surtout pas, Béru ! Tes larmes sont encore plus répugnantes que ton pissat ! Tu n'es qu'une sous-merde, une bouse fétide, un abcès purulent, une ventrèche pourrie, un infâme tas de saindoux, un moulin à conneries, une monumentale abomination, un bouillon d'inculture, une gonfle cossarde, un goinfre gélatineux, un furoncle endémique, un constipé du bulbe, une loque chlinguante, une charognace avariée, une délabrance suiffeuse, une abracadabrance infrahumaine !...

Un long silence s'installe entre nous.

Machinalement, Son Altesse fécale trempe son doigt dans la tache de vin rosé que la moquette peine à absorber et le suçote.

– Dis-moi, Sana, dit-il du bout des lèvres, tu pensais vraiment c'que tu m'as dit ?

Je reprends haleine.

– Bien sûr que non, je pensais pas ce que j'ai dit. Je pensais pire.

– Tu m'rassures ! Dommage qu't'ayes brisé ma dernière boutanche, j'recommençais d'avoir soif.

D'un élan, je l'attrape au niveau de son garrot de bison et le presse contre moi.

– Bon, on va pas en chier une pendule : t'as eu la trouille de sa sulfateuse et t'as laissé filer Buonamorte.

Buffalo Débile renâcle.

– Tu débloques ? A la première occase où c'qui s'arrêtait à un crois'ment, j'y ai filé un coup d'coude dans l'temporal. J'l'ai saucissonné au mi'yeu d'ses sangliers bidons. J'ai dégoté une cabine téléphonière, app'lé Pinuche pour connaît' ta planque, et me v'là tout astringent. Tu m'aurais écouté jusque z'au bout du bout, n'au lieu d'me traiter d'tous les noms !

– Je n'ai pas traité, Alexandre, je t'ai décrit !

– Soite ! Mais c't'était pas à mon avantage !

– Bon : où est Buonamorte ? abrégé-je.

– Ben, dans la cochonnière, sur la place du village ! Y d'mande qu'à répond' à tes questions.

– Il pourra surtout nous dire QUI est le San-Antonio se prétendant son complice !

Quand on est arrivé devant l'église, des cochons s'égaillaient gaiement sur l'esplanade. Le hayon de la bétaillère était ouvert. Pantaléon Buonamorte gisait au pied du véhicule avec un trou de balle dans la nuque.

Des projos se sont allumés un peu partout, nous traquant comme les vedettes d'un opéra en plein air le soir où les intermittents acceptent de mitter.

« Police ! Levez les mains ! Ne bougez plus ! » a lancé une voix que je ne connais que trop bien.

Un' ci hè pesciu senza lische
ne carne senza osse.

Il n'y a pas de poisson sans arêtes
ni de viande sans os.

12

– Jure-moi,

*papa, qu'un fils n'est pas obligatoirement
plus con que son père,
à part George Walker Bush ?
Tu répondrais quoi, toi qui es à la fois
un père et un fils ?*

Le Gravos a fini par vomir, c'était inéluctable. Le maçon qui a ragréé la chape de notre cellule ne maniant pas trop bien la truelle et le niveau, la résurgence s'évade sous la porte en une flaque liquescente et rosâtre. L'estomac vide, l'appétit par le fait ravivé, Béru regarde s'écouler avec nostalgie sa vinasse moussue.

– T'as pas faim, toi ? me demande-t-il.

– Pas vraiment, non.

– Ni soif ?

– Ta gueule !

Quelque part dans le bâtiment, un transistor mouline une chanson sympa. Je crois reconnaître le succulent Benabar apprenant le vélo à son mouflet. Ils sont bons, les jeunots des nouvelles générations : San Severino, Biolay, Calogero, Fersen et Arno, bien sûr, même s'il a un peu plus de bouteille que les autres (à tous les sens du terme). J'en oublie sans doute quelques-uns. Mais celui qui m'épatate surtout, c'est Vincent Delerme. Il prouve que si son père a réussi sa première gorgée de bière, il n'a pas raté non plus sa petite giclette ! Comme quoi, pour répondre à ta question, mon fils : si tu ne deviens pas président des States, t'as une chance de ne pas être plus mauvais que moi.

L'amertume, quand elle envahit le visage d'Alexandre-Benoît Bérurier, passerait pour de la liesse sur bien des gueules que tu croises au petit matin dans l'autobus. Rien ne saurait altérer ni désaltérer la jovialité de son mufle, pas même la désespérance.

La hure sanglée entre ses hénaurmes paluches, ventre de neuf mois et demi propulsé vers l'avenir, coudes calleux calés sur les genoux, cuisses largement ouvertes sur une braguette débordant de burnes et soies rêches pour morpions en tenues de soirée, il laisse vaquer son âme simplette en chantonnant :

> *« J'en ai marre*
> *Marabroute*
> *Broute ma craque*
> *Crac boum paf*
> *Paf dans le fion*
> *Fion follet*
> *Lèche zizi*
> *Zigomar*
> *Marabroute... »*

– Elle est belle, ta comptine ! le complimenté-je.

– Je viens d'l'inventer !

– Tu sais que tu as du talent, Achille ?

– Je sais, mais les aut', eux, y l'savent pas. Prends la chanson des Matelassiers, par ezemple : tout l'monde la chante et peu d'gens sachent que c'est d'moi ! N'en fait, l'talent, ça dérange personne tant qu'tu réussis pas.

– Dis-moi, Béru, tu serais pas en train de devenir intelligent ?

– T'as peur que j'déborde les limites d'mon personnage ?

– Ben...

– Alors, reprends-moi z'en main ! C'est quand même toi qu'écrives, bordel !

Ses yeux injectés se perdent dans un curieux vague à l'âne. On dirait deux noyaux d'olive crachés sur une tartine de tarama. Il reprend sa chansonnette d'un ton morne.

« *J'en ai marre*
Marabroute
Broute ma craque
Crac boum paf
Paf dans le fion... »

– J'imaginais pas qu'ça s'gerbait aussi facil'ment, un gorgeon de rosé.

– Un gorgeon, peut-être pas, mais cinq bouteilles ?

– T'as raison, j'sais pas m'limiter. J'eusse duze m'en t'enir aux r'commandations d'Bison Fruité : un litron, ça oui, trois litrons, bonjour l'dégueulis ! J'sus t'honteux d't'affliger l'espectac' d'ma vomisserie, Tonio. Faut nettoyer tout ça. 'Reusement qu' j'aye encore quèques délicilitres-cubes dans l'Canadair...

Le Terrific déballe son mandrin à tête chercheuse et, l'utilisant tel un karcher réglé à bloc, balaie de sa pisse drue les scories de sa panse. Le marigot devient Amazone, amas jaune, Niaviagara sulfureux.

La lourde en cet instant pivote sur ses têtes de gonds. Antoine paraît, en sandwich entre deux gendarmes capitonnés de gilets pare-balles, fusils Dassault en pogne. Mon fils commande d'un geste autoritaire (qu'il m'a vu pratiquer cent fois, le petit enfoiré, sans que je me rende compte qu'il le copiait) à ses escorteurs de dégager le terrain.

Il reclaque la porte derrière lui, enjambe la nappe néphrétique de Béru – lequel se rajuste promptement – et vient s'asseoir face à nous.

Pantalon beige, chemise blanche, veste légère dans les nuances caramel au lait, cravate bleu azur assortie à ses yeux, il a de la classe et il est beau, mon fils. Si je réagis comme une mère juive, c'est tout simplement parce que je l'aime.

Mais attention : je ne vais pas lui faire de cadeau pour autant, à ce petit couillon !

– Bonjour papa, articule mon Toinet.

– Salut.

– Bonjour, tonton Béru, poursuit-il. Si t'as besoin d'aller aux toilettes, tu peux demander. Inutile de faire sous toi.

Je retiens le bras d'Alexandre avant qu'il n'administre la torgnole méritée par mon rejeton.

– Je suis navré de la situation, enchaîne cestui-ci, mais il faut se rendre à l'évidence : vous vous êtes fourrés dans un sale guêpier.

D'un imperceptible mouvement du menton, Toinet me désigne au plaftard une trappe d'aération chromée idéale pour y dissimuler un mouchard et peut-être même une caméra.

Lèche-moi te préciser que nous avons été nuitamment embarqués vers une annexe de la Brigade antiterroriste implantée dans un pavillon sur les hauteurs de l'Île-Rousse.

En toute priorité, Béru se rebiffe.

– Comment se fait-ce qu'on croupit dans un con-de-basse-fosse septique, n'alors qu'on est positivement des z'héros ?

– Des héros ? s'étonne mon garnement.

– Faut voir les choses en face : Pantalon est plus r'cherché qu' m'sieur Hussein et tous ses lardons, si j'ose m'esprimer ainsi envers des gens qu'apprécillent pas l'jarret d'porc à sa juste valeur. Et v'là qu'on vous offr' Pantalon poings et pieds grillés ! On vous z'en fait un colissimo et vous rouscaillez z'encor' ?

Antoine lisse sa chevelure d'un geste qu'il veut agaçant, manière d'attirer mon attention. Il se tapote discrètement le lobe de l'oreille pour m'inciter à esgourder avec plus d'acuité. Il me semble en effet percevoir un zonzon plus feutré qu'une enculade de mouches dans de la crème chantilly. Sûr que notre interrogatoire est placé sous haute surveillance. D'un cillement je lui indique avoir pigé. Il en revient à Béru qui a entrepris de curer et de déguster les bigorneaux de ses narines.

– Nous aurions préféré Pantaléon Buonamorte vivant, cher Alexandre-Benoît.

– C'est pas nous qu'on l'a zigouillé !

– A voir. En tout cas, vous auriez dû le remettre aux gendarmes dès que possible !

– Pourquoi qu'tu m'tutoyes plus ?

– Parce que l'expression de la familiarité ne saurait aider un enquêteur, et complique même sa tâche.

– D'puis quand qu'y cause comm'un ministre à la télé, ton fils ? s'étonne le Gravissime. Dans l'temps, les marmots, on leur baffait la gueule pour qu'y r'tiennent les conjurations des verbes et les pluriels en « al » – un p'tit chacal, des grands chacaux ! Maint'nant, va falloir leur claquer l'beignet pour qu'y s'espriment comm' nous !

J'envoie un coup de saton dans les moltebocks du Mastard.

– Ben quoi ? J'ai dit une connerie ? s'insurge-t-il.

– Pour que tu ne dises plus de conneries, Gros, faudrait te retirer le larynx, d'abord, et tout ce qui vibre en ta carcasse, ce qui impliquerait le calfatage de ton trou du cul.

Il se tient comment ? Quoi ? Oui, c'est ça : coi ! Parfait, j'en attendais pas moins de toi.

Antoine me pose délicatement la main sur la rotule et la pétrit soudain avec une extrême vigueur. Je sens qu'il est très mal, mon môme, et ça me pourfend l'âme, le cœur et la tripaille.

Rien n'est plus massacrant pour un père que la souffrance de son enfant, même quand il sait que l'épreuve est nécessaire. Je crois être un dur. Dur partout là où il faut, je te le garantis, ma belle, et toi aussi, mon beau, si t'as envie de tâter de mon uppercut. Mais dur, je le suis surtout par la sècheresse qui racornit mes sentiments. J'ai bousculé la vie comme une fille de joie, elle m'a pas mal brutalisé aussi, on devrait être quittes. Mais de cette joute il me demeure une attirance forte et simple pour les passions basiques et un rejet des émotions superfétatoires.

Histoire de me ramener dans le concret, Toinet agite sous mes yeux le sésame perdu, l'autre soir, dans le minibus.

– Papa, papapapa ! répète mon garçon. Compte tenu des charges pesant contre toi et que j'ai à exposer, permets-moi de t'appeler dorénavant commissaire San-Antonio.

– Tu peux m'appeler Duchmol, Alix Karol, Vic St Val, Henri Desclez ou Dumoulin si ça t'arrange.

– Merci... commissaire San-Antonio.

– Pas d'quoi, fiston.

– Je préférerais « lieutenant », à « fiston »...

Béru éclate d'un rire gras comme un beignet de beurre au foie gras.

– T'trouves pas qui nous la joue marquise de Pompidou ou ma'ame de Maintenance, ton gamin ?

– Écrase, Gravos. Je vous écoute, lieutenant.

Rasséréné, Antoinet me tend le tortillon métallique que constitue mon indéfectible sésame.

– Reconnaissez-vous cet objet, commissaire San-Antonio ?

– Évidemment. Il s'agit d'un passe-partout...

– Moive, j'préfère à la fois les passes et les partouzes ! glapit Son Immonderie que les vapeurs de sa vinasse épandue commencent à réensuquer.

– Boucle ton claque-merde, Gros nœud ! tonné-je.

– A qui appartient cette clé universelle ? insiste Toinet, négligeant l'intempestervention du Couillu majeur.

– C'est mon sésame, admets-je.

– Bien. Comment expliquez-vous sa présence dans un minibus volé à l'aéroport de Bastia et retrouvé dans un chemin creux de Furiani ?

Je te l'ai exprimé mille fois, mais une millunième ne sera pas superflute : ne jamais mentir à un poulet ! C'est souvent la petite menterie de confort qui a entraîné des innocents vers la bascule à Charlot. Pense à Ranucci que le grand chauve au piano à bretelles refusa de grâcier pour assurer une réélection ratée qui fit de lui le cocu magnifique de la politique. Pense à Omar qui eut le bol de tomber sur un président moins obtus et qui clame aujourd'hui : « Chirac m'a libérer », car il lui arrrive encore, comme sa victime présumée, de ponctuer ses phrases de fautes de syntaxe. (Ou de grammaire ? C'est parce que j'ignore la différence exacte entre ces deux mots que je ne suis pas encore en habit vert aux côtés d'Orsenna, le plus bel écrivain français – quelle douceur, Madame Bâ !)

– Je vais être clair : j'ai perdu mon sésame dans ce petit car en me libérant des menottes avec lequelles un jeune cagoulé venait de m'entraver.

– Il s'appelait Dino Pozzo di Zobo.

– Dino, j'avais cru comprendre, mais j'ignorais son patronyme.

– Il a été abattu d'une balle dans la nuque.

– Je sais. J'ai assisté à son exécution.

Toinet me dégomme au plus profond des yeux. L'intensité de son regard implore mon indulgence pour tous ses propos venimeux, passés et surtout à venir.

– Qui a tué Dino ?

– Un homme... ou une femme. Sa voix était étrange, et sa cagoule maquillée de rouge à lèvres ou brodée d'un fil incarnat.

– Pourquoi aurait-il (ou elle) tué Pozzo di Zobo ?

– Parce qu'il avait été maladroit en perdant son arme, et qu'il ne contrôlait plus ses propos.

Mon fils sort de sa poche un petit carnet identique à ceux que je trimballe toujours dans mes fouilles les plus secrètes, et commence à prendre des notes.

– Où as-tu dégoté ce calepin, ne puis-je m'empêcher de le questionner.

– Dans le grenier, à Saint-Cloud ! Il y en a des centaines... Excuse-moi, p'pa, je pensais que tout ce qui venait de ton père pouvait un jour m'appartenir aussi...

– Exact. Continue... Enfin, poursuivez, lieutenant !

– L'arme perdue par Dino, ne l'avez-vous pas récupérée ?

– Si.

– Elle a servi à tuer Pantaléon Buonamorte et Rocco Pozzo di Zobo, le frère de Dino, cette nuit-même, dans le village de Santa-Pina.

– Ce n'est pas moi qui ai tiré. Ce garçon m'a piqué le revolver en me tendant la main d'une morte.

– Ce n'était pas la main d'une morte, mais d'une vivante, rectifie Toinet.

Machinalement, je vérifie que les trois anneaux de Marie-Marie sont toujours dans la pochette de ma chemise.

– La personne se trouve actuellement à la clinique Defonsi, à Bastia. Il s'agit d'une certaine Corinne Follducq. Cette femme prétend que vous avez tué Dino de sang froid et que vous l'avez elle-même amputée de la main droite à l'aide d'un scalpel.

Si le ciel me tombait sur la tête, je continuerais d'acheter les *Astérix*, avec ou sans Goscinny dont la fille, même lorqu'elle est enceinte jusqu'au bord des eaux, cultive d'un simple regard l'intelligence de son père. Mais y a franchement besoin d'un tombereau de potion magique pour se laisser harceler ainsi par son gosse !

– Cette femme ment, répliqué-je. Quelqu'un a dû acheter son témoignage.

– Au prix d'une amputation ?

– Tout est possible... lieutenant !

Toinet semble déstabilisé par mon aplomb et surtout par ces minimicros et caméras obscures qui enregistrent nos propos.

Secoué par un nouveau séisme gastrique, Alexandre ne peut endiguer une gerbouille spumeuse qui vient auréoler son plastron.

– S'cuse-moi, Tonio, mais d'voir comment ton propr' fils te trait', ça m'remue la boîte à ragoût ! Les gamins d'aujourd'huire, ils sont p'us c'qu'on était ! Si tu les laisses faire, y' t' bouffent les roustons et l'chéquier jusqu'à la malle ! Prends Appolon-Jules, mon mouflet, pour l'exemp' ! On n'a t'été obligé d'l'envoyer dans une école privative, chez les Frères Paffiers, pour qui réussissasse son certificat des tubes !

« Tout s'passait bien jusqu'à le mois dernier. V'là qu'son prof' principal s'met dans la tête d'lui enculquer les fondements d'la géométrie dans les spasmes. Et deux plus deux font six, et six fois six trente-douze. Cours particuliers, des conneries, quoi. Juste-là, rien n'a dire. Mais v'la-t-y pas qu'l'aut' salopiaud commence à tirlipoter mon Apollon-Jules comme quoi l'algèb' ça s'apprend mieux avec un doigt dans l'calbute !

« C'a pas traîné ! Malgré en dépit d'ses douze piges, mon garnement y'a collé un bourre-pif, l'a allongé su'l bureau, y'a r'tiré le froc et, n'en représailles, t'l'a englandé pendant deux plombes jusqu'à ce que ses hémeraudes r'semblent à des rugbis !

« L'plus mariole, c'est qu'le perdrophile voulait porter plainte pour détourn'ment d'majeur ayant z'autorité ! Reus'ment, l'proculeur de l'a Raie publique a préféré écraser l'coup, t'imagine l'escandale ?

Antoine fait claquer ses doigts pour rameuter notre attention.

– Comment expliquez-vous que Mme Foll-ducq prétende que vous lui ayez tranché la main ?

– Je ne me l'explique pas.

Toinet bondit de rage.

– Y a beaucoup de faits que tu ne nous expliques pas, papa !

– On dit : môssieur le cômmissaire ! intervient Alexandre-le-Gros. Et on l'vouvoye !

– Merde ! Ça suffit, votre numéro ! tonitrue mon fils. Papa, commissaire, tonton, Béru...tout ça, c'est de la couille ! Je veux la vérité, maintenant ! J'ai pas fait flic pour jouer les seconds couteaux, ni pour servir le potage à des vieux chnoques ! Moi, ce qui m'intéresse, c'est la Vérité et la Justice...

D'un clignotant d'iris, je consulte Toinet : t'es sérieux, là, ou pas ? Répondre par un éclat de lentille à une question aussi peu formulée relève du génie. Bravo, fils, t'es encore plus ficelle qu'un embout de tampax.

– On va reprendre depuis le début tout ce qui pose problème, papa, énonce-t-il avec une impressionnante gravité.

On a passé en revue les épisodes nébuleux de cette histoire en s'efforçant au calme plus qu'à la volubilité. Il faut reconnaître que je suis davantage mouillé que le collant de ta rombière quand elle aperçoit ma photo. Je vais t'exposer les faits z'un n'à un.

Des coups de fil anonymes m'entraînent chez Michel Ange, le peintre amant de Colombina, femme de Pantaléon, l'évadé de Fresnes. Je suis assommé et quand je reviens à cet être essentiel qu'est moi, le peintre a péri cramé. Version de la police : je l'ai abattu d'une balle dans la nuque avant de l'arroser d'essence et de brûler son corps. Le meurtre en vase clos est évident, puisque les mecs de la brigade antiterroriste n'ont vu entrer que ma pomme et ressortir personne. La théorie développée par Pinuche, celle de l'assassin débarquant et repartant à l'aide de la grue, est considérée comme ultrafumeuse. Mais la plus lourde charge tient à ce que les appels sur mon portable émanaient du numéro de l'atelier du peintre.

– J'ai vérifié moi-même, papa : c'est bien Michel Ange qui t'a téléphoné à plusieurs reprises.

– Pourquoi me faire passer par le restaurant du Pigeon Truffier, pourquoi ce jeu de piste avec le portrait de Colombina ? m'interpellé-je à haute voix.

Toinet a déjà réfléchi à cet important détail.

– Le peintre avait peur de la vengeance de Buonamorte...

– L'avait tort ! intervient Béru, moins somnolent qu'il y paraît. Pantalon, y savait pas qu'il était cocu. L'avait un' confiance absolute dans sa mousmée. Et pis même, si on d'vait buter nos gonzesses à chqu' fois qu'elles franchissent la ligne Maginot d'leur fidélité, faudrait rouvrir les catacombes ! Moi, y m'arrive en broutant ma Berthe d'déglutiner du foutre tout frais d'Alfred. J'le r'crache, bien sûr, m'enfin, si on d'vait s'fâcher pour des babioles pareilles !

Antoine en revient à sa démonstration :

– Michel Ange souhaitait te rencontrer, soit parce que vous aviez des intérêts communs...

– Je ne connaissais pas ce peintre !

– Laisse-moi finir, papa !... Soit parce qu'il voulait que tu sois témoin de quelque chose.

– J'ai en effet été témoin de sa mort.

– Ce n'était sans doute pas ce qu'il escomptait.

J'hésite à évoquer ma conviction qu'Armand Culpa a buté Michel Ange. Inutile d'attirer l'attention sur ce Crâne pourri. Les poulets ne semblent pas au courant de sa pendaison après torture en son caveau de famille. Ils seraient capables de me coller ce forfait sur les endosses en supplément au programme.

Déjà qu'honnêtement mon gyrique n'est pas facile à paner, par les temps qui courent ! En résumé : je me barre de l'hosto où je suis assigné à résidence, je m'envole pour Bastia en toute illégalité, j'y pique un minibus dans lequel on retrouve un Pozzo di Zobo flingué, je vole une nouvelle bagnole à Bastia, en change les plaques minéralogiques et rapplique à Santa-Pina pour dégoter Pantaléon et le second Pozzo di Zobo butés avec le calibre dérobé par moi à son frère. Et ça, c'est la partie émergée de l'iceberg ! Les énigmes du Masque de fer et du Courrier de Lyon seront résolues avant que je réussisse à prouver mon innocence.

L'attaque étant réputée la meilleure défense, je demande à Antoine quelles raisons l'ont poussé à infiltrer Béru auprès de Buonamorte. Je sais la réponse, mais j'attends la sienne.

– On en arrive au cœur du problème, papa.

– Je l'écoute battre, ce cœur.

La belle assurance de mon gamin se désagrège.

– C'est à dire que...

Le Mastard se dresse entre nous deux.

– Dis-y tout, Toinet ! J'y en ai déjà vagu'ment causé. Montre qu't'as des couilles au cul, bordel !

Comme dans un ralenti, mon fils dégage un enregistreur numérique de sa poche.

– Ça remonte à quelques semaines. Tu veux écouter, papa ?

– Évidemment.

– Je te préviens, ça va te faire mal.

– Tu m'as habitué à pire quand t'étais môme.

Il enclenche l'écoute d'un pouce rageur. Je suis tout ouïe, tu t'en doutes. Le son est médiocre, graillonnant, mais audible après intervention des techniciens de la Maison Poulaga :

« *... Il s'agit de vingt millions, Panta...*

– *De francs ?...*

– *Tu plaisantes ? D'euros.*

– *C'est quoi, la came ?*

– *Des bijoux exceptionnels, ils demandent qu'à être récupérés.*

– *Comment on le fait, ce coup ?*

– *Il est déjà fait depuis longtemps. Si je pouvais sortir... mais avec ma prostate qui finit mal... Toi, t'es encore jeune et y te reste douze piges à tirer.*

– *Moins ! Je n'ai plus le goût de vivre loin de Colombina. Je vais me barrer d'ici.*

– *Alors ramasse le paquet et va reluire ta gonzesse. On fait part à trois. La mienne, je te la donne, la tienne, tu la gardes et la troisième, tu la refileras à la ligue contre le cancer, promis ?*

– *Juré.*

– *T'es corse comme moi, j'te fais confiance.*

– *Tu as tort, on n'est pas du même village.* (Éclats de rire.) *J'aimerais quand même savoir...*

(Bruit d'intrusion, vociférations.)

– *Ça suffit ! Vous n'avez pas le droit de jacter, bande de cancrelats !*

(Voix atténuées.)

– *V'là les matons. J't'expliquerai une autre fois.*

– *Donne-moi au moins un indice.*

– *San-Antonio... à Saint-Cloud. Crrrtcchhh-crrrtch...*

La suite de l'enregistrement est inécoutable.

– Ces cons de gardiens ont tout gâché ! se lamente mon garçon. On les avait avertis que des écoutes inopinées seraient pratiquées, mais ils sont incapables de retenir quoi que ce soit, ces demeurés, pas même leur prénom !

– C'est vrai que j'connais pas le p'tit nom d'un seul maton ! acquiesce Sa Rotondité. N'empêche qu'si tu de'vais éguezercer leur boulot, Toinet, tu frim'rais moins !

Mon fils manipule son bitonio pour me laisser réécouter les deux dernières phrases de l'enregistrement :

« *Donne-moi au moins un indice.*

– *San-Antonio... à Saint-Cloud. Crrrtcchhh-crrrtch...* »

Il se croit obligé de souligner :

– C'est assez clair, non ?

– Il s'agit d'un homonyme ! glapis-jè-je.

– Un homo ? relève Béru. Possib', avec la *gay pride* et toutes ces couillonnades à de la noix d'aujourd' huive !

– Un homonyme ? répète mon Antoinet. Désolé, p'pa, y a qu'un seul San-Antonio à Saint-Cloud : toi.

– Erreur, il y en a un second : toi !

Son faciès se désagrège. Il ne peut réprimer un regard furtif en direction de la bouche d'aération.

– Moi, j'habite Paris, rue des Saints-Pères...

– Y a pas longtemps ! Et puis, t'es toujours inscrit sur les listes électorales de Saint-Cloud, tu paies tes impôts à Saint-Cloud, ta caisse de Sécu se trouve à Saint-Cloud. Le San-Antonio auquel font allusion tes truands, ça pourrait aussi bien être toi.

– Qui qui l'a dans l'œuf ? narquoise dom Rosé.

Beau joueur, mon fils admet la justesse de ma remarque tout en me faisant observer que c'est plutôt autour de ma pomme que s'accumoncellent les cadavres.

Pas de méprise, Joli Cœur : je ne défausse pas mes responsabilités sur mon marmot. J'essaie seulement de jouer le chien dans un jeu de quilles, de semer la zizanie chez les bourdilles. Et tu paries que Toinet a pigé la manœuvre ?

– Qui est l'interlocuteur de Pantaléon, sur l'enregistrement ? m'informé-je.

– Gracieux Furetti, dit La Fourette, un vieux dur à cuire.

– Il faut le cuisiner, ton dur à cuire ! Il nous dira de quel San-Antonio il parle.

– Au menu, il figure à la rubrique viandes froides. Il est mort le lendemain de cette conversation.

– Merde !

– Je te le fais pas dire, p'pa.

Toinet se lève et va cogner contre la lourde de notre geôle.

– Il est tard. Nous reprendons cet entretien demain matin, décide-t-il.

– Un instant, Fiston, j'ai encore quelques questions à te poser.

– Ce n'est pas l'usage.

– T'sais c'que j'en fais, moi, d'l'usage ? grogne Son Infamie Putrescime. Un suppositoire ! Et quand t'y ressort, t'as perdu l'sens des suces et costumes !

– Il s'agit de questions personnelles, précisé-je. Du père au fils, pas du flic au flic.

Nouveau lorgnage incontrôlé d'Antoine vers la grille des mouchards.

– Dis toujours...

– Marie-Marie ?

– Aucune nouvelle. Rien dans les hôpitaux ou les morgues. Elle n'a pris aucun train ni avion, loué aucune voiture, pas franchi de frontière...

– Ce qu'on appelle « disparue », quoi ?

– On pourrait le dire comme ça.

– Tu ne penses pas qu'elle a été enlevée par les fumiers qui s'acharnent sur moi ?

– Tu as reçu des menaces ? On a essayé de te faire chanter ?

– Non.

– A son âge, elle n'a pas été victime d'un maniaque. Alors la thèse de l'enlèvement ne tient pas. Je ne vais pas te demander de réviser tes cours, commisaire ?

– Et si on l'avait tuée ?

– Pourquoi ?

– La faire taire.

– Que savait-elle au juste ?

– Rien.

– Il faut que tu te reposes, papa.

– Tu as raison, fils.

Du pouce, je frôle la bague de ma Musaraigne. Papa y va se reposer, d'accord, mais le petit Junior, il a encore plein de choses à apprendre !

– Par contre, j'ai de bonnes nouvelles de Félicie, de ma sœur et de son hamster...

– Moi aussi. Note qu'il vaut mieux dire « en revanche » que « par contre ».

Toinet me fixe avec insolence.

– Je n'ai aucune revanche à prendre, moi !

Les gendarmes lui ouvrent la porte. Béru, qui a subodoré notre conflit plus qu'il ne l'a compris, lui lance sur un ton de défi :

– Un jour, p'tit gars, faudra qu'tu fisses un bras de fer avec Apollon-Jules, ça t'rabattrait ton caca !

– Je n'ai aucune raison de me mesurer à un hydrocéphale qui sodomise ses profs ! réplique Antoine avant de quitter la cellule.

Le Gravos soupire.

– Il est hargneux, ton môme ! Y doit t'nir ça d'ses vrais parents !

D'un méchant réflexe, je l'attrape par le colback.

– Je t'interdis d'employer ces termes de « vrais parents », goret !

– T'fâche pas, Tonio ! J'voulais dire ses parents biochimiques, ses parents putassiers... j'sais pas trop m'esprimer ! J'sais qu'on fond, t'es son vrai père. Escuze-moi...

Je lui flatte l'encolure en geste d'apaisement.

– C'est moi qui m'excuse, Gros. Comme tous

les orgueilleux, lorsque la situation m'échappe, je retiens mal mes réactions.

– Pas grave, on s'aime, moi et toi...

Façon de ponctuer sa déclaration, le Désespérant largue un rot léger, agrémenté de deux ou trois globules verdâtres. Pareilles bulles évanescentes au bec chrolophyllé d'une ravissante adolescente te feraient grimper l'acrobate sans les mains jusqu'au sommet de ton kangourou. Mais quand elles émanent d'une vésicule bilio-béruréenne : beurk !

Antoine remontait poings serrés l'escalier conduisant aux bureaux de la délégation régionale de la B.A.T. Il se disait...

Il se disait ? Non, il se dit. Ou plutôt JE me dis que j'ai bien le droit, après tout, d'achever un malheureux chapitre de monsieur Papa !

En fait, je me dis surtout que je crois mon dabe innocent, mais que toutes les apparences sont contre lui. Comment pourrais-je l'aider ? Je crains d'avoir atteint mon seuil d'incompétence.

Lorsque je débarque dans le bureau, un nouveau venu est assis de trois quarts dans la pénombre. Leonetti, commandant local de la brigade antiterroriste, me saute sur le poil. Il a l'air guilleret d'un type qui vient d'apprendre qu'il est devenu allergique à l'oxygène[1].

– Bonne nouvelle, lieutenant : l'I.G.S. nous envoie un homme d'élite. Le ministère tient à ce qu'il prenne la direction de l'enquête. Je vous présente le capitaine Dewessau, mais je crois que vous vous connaissez déjà ?

---

1. Immortelle expression due au talent génialissime d'un certain... Et puis non, creusez-vous les méninges, et trouvez le nom de cet auteur qui n'a pas publié depuis bientôt trente ans.

Acte IV

LA DÉRIVE DU CONTINENT

théorie de Wegener mâtinée Pasqua

In bucca chjosa ùn c'entre mosche.
Les mouches n'entrent pas dans une bouche fermée.

13

Al-Jazirah

l'affirme :

et elle a pas forcément tort.

Anselme Dewessau me broie la main sous prétexte de la serrer. Son regard bienveillant de banquier zurichois découvrant la faillite de son principal client se plante dans ma rétine.

– J'ai mis trois jours à sortir du coltard, lieutenant. Si je retrouve l'infirmier qui m'a infligé cette piqûre, je le ferai souffler dans son trou du cul jusqu'à ce qu'il me joue *les Oignons* sans fausses notes.

Moi, m'est avis que s'il se gaffe de ma culpabilité, je peux d'ores et déjà chercher un emploi de vigile à la Foire-aux-Chaussures.

Le ténor de l'I.G.S. tourne sa chaise pour se placer face à l'écran sur lequel mon paternel et tonton Bérurier apparaissent minuscules par l'effet du grand-angle.

– On va les ramener en France, décide-t-il.

Leonetti se racle la gorge.

– Je vous ferai remarquer, capitaine, que jusqu'à preuve du contraire, la Corse est encore située en France.

– Ouais ! Je voulais dire... en métropole.

– Le terme métropole est utilisé par les expatriés des territoires d'Outre-Mer, et je ne crois pas que la Corse constitue une colonie, mais est formée de deux départements français !

– Alors, on dit comment ?

– Je suppose que vous envisagez de transférer les détenus sur *le continent*.

– C'est ça : *le continent* ! Mais on va pas se pisser dessus pour un continent ?

Ce bœuf-carottes, j'aimerais me le mitonner

en appliquant les recetttes de ma brave grand-mère de Félicie. Je lui dépouillerais les roustons et les mettrais à rissoler dans du beurre salé avec un poireau émincé, quelques bâtonnets de carotte nouvelle, un soupçon de cayenne et une demi-gousse d'ail râpée ; un trait de vin blanc, une cuillerée de crème fraîche, et je lui ferais bouffer ses amourettes en lui racontant comment je baiserai sa femme quand elle sera en manque !

– Vous avez l'air absent, lieutenant San-Antonio. A quoi songez-vous ? tempête l'écouillé de mes songes.

– Je... je pensais à votre décision de ramener les suspects sur le continent.

– Une objection ?

– Une simple interrogation : quel intérêt ?

– Vous n'avez pas à juger de mes décisions, est-ce clair ? Maintenant, si vous souhaitez des précisions, je vais vous les fournir. Pour votre père, la cause est entendue : je vais recommander au juge Bruckner de le mettre en examen. Mais c'est le gros lard, qui m'intéresse. Il en sait plus qu'il n'en dit sur Situcci Paoli. Que cet indépendantiste forcené se retrouve derrière les barreaux, et j'aurai sauvé la Corse. Pour Lilian Collera, c'est une affaire d'heures, de jours, de semaines, de mois, peut-être, mais on l'aura, lui aussi, et l'île de Beauté redeviendra le havre de paix qu'elle était avant 1976 et qu'elle n'aurait jamais dû cesser d'être. On en a marre des panneaux de signalisation barbouillés pour masquer le nom français des villes et des villages, des façades d'édifices publics criblées de balles, des plasticages à tire-larigot ! Ras le bol du racket, des attentats, des évasions ! La Corse, j'en fais mon affaire !

– Qui vous donne une telle ambition et tant de pouvoir, monsieur Dewessau ? demandé-je, la rage au bord du cœur.

– Le ministère ! Le ministre ! s'aplatit Leonetti, l'homme de la brigade antiterroriste.

– Exact ! persifle le bœuf-carottes. D'ailleurs, sans vouloir vous commander, commandant Leonetti, moi qui ne suis que simple capitaine, pourriez-vous allez voir, vous et vos sbires, si je ne serais pas par hasard dans la pièce d'à côté ?

– A vos ordres ! Enfin... à ceux que j'ai reçus.

Leonetti embarque son staff hors le bureau. Il prétend m'entraîner avec lui, mais l'insupportable Dewessau s'en mêle encore :

– Non, non ! Le lieutenant San-Antonio reste avec moi. Allez, allez, vous autres, du balai !

A l'instant présent, c'est selon une recette chinoise que j'aimerais l'accommoder, ce fumier : prenez un singe ; Dewessau, par exemple. Ligotez-le fermement, qu'il ne puisse plus remuer. D'un coup de machette habile, décalottez-lui le haut du crâne comme pour un œuf à la coque. Versez de l'huile bouillante sur la cervelle palpitante puis savourez à la petite cuillère. Une pincée de quatre-épices ne saurait nuire à la dégustation.

– Vous avez l'air absent, lieutenant San-Antonio. A quoi songez-vous encore ? tempête l'ébouillanté de mes rêves.

– Je... je pensais toujours à votre décision de ramener les suspects sur le continent.

Anselme Dewessau s'étire sur sa chaise. Ses pectoraux gonflent sa chemise à en faire péter les boutons et coutures.

– Maintenant que les fonctionnaires autochtones ont dégagé la piste, je puis vous le dire, jeune Antonio : nous n'arriverons à rien sur cette île de merde ! En chaque Corse sommeille un rebelle, même en ceux que la république a investi des plus hautes charges. Tout Corse porte en lui le gène du terrorisme.

– Un peu comme les résistants français sous l'occupation allemande : TERRRRRORIST ! KAPUTTTT !

– Arrêtez ce délire ! Les Allemands occupaient la France, alors que les Français sont chez eux en Corse depuis 1768 ! C'est absolument pas pareil !

Tu penses que je force un peu le trait du personnage ?

Possible, mais je ne suis pas en charge de la san-antoniaiserie officielle. J'te donne ici l'avis d'un San-Antonio de la troisième génération. Pour moi, la Corse, c'est un banc d'essai pour la liberté. Un endroit privilégié où les jeunes exilés devraient revenir en masse pour reprendre à leur compte tout ce que les vieux birbes sont en train de bousiller. Rentrer au pays, pour un ado, c'est pas forcément reprendre la chèvrerie du padre, fumer du cochon ou ramasser les châtaignes ! Non. Ça ne marchera jamais de cette façon-là ! Revenir en Corse, c'est goûter la beauté d'un pays à l'état vierge et la valeur de ses traditions, O.K., mais c'est aussi lui fabriquer un futur. Le monolithe européen va figer nos monnaies, le sens de l'ordre et de la justice, le droit donné à tous les hommes d'exister, manouches aussi bien que prince de mes-deux ; il va nous obliger à vivre en paix avec plein de gens qui nous font chier mais qu'on fait chier aussi. Et lorsque les moindres détails de notre vie ordinaire auront été réglés comme du papier à musique militaire par les eurocrates, c'est grâce aux particularismes que nous nous préserverons un jardin secret où cultiver nos plates-bandes à part. Alors les petites régions bien enracinées dans leurs us, les îles et îlets de caractère, tout en filant doux dans le cadre du « 22, v'là les choux de Bruxelles », savoureront un délicat bonheur à ne partager qu'avec des gens de goût.

Anselme Dewessau, dont mon père vous a déjà dit qu'il était plus fûté qu'une pierre à fusil, lorgne l'écran glauque de ses nuits blanches. On y voit oncle Gradub en grande conversation avec mon géniteur.

– Monte le son, monte le son ! m'ordonne le capitaine.

Je tourne une molette jusqu'à ouïr mon dabe recommandant à Béru de ne plus libérer son claque-merde.

« Si par inadvertance tu devais encore ouvrir ta gueule, Béru, jure-moi que tu vomiras, mais que tu ne parleras pas ! »

Il adresse un petit signe à la caméra.

« On nous observe, Gros, on nous écoute. Alors motus absolu, omerta complète ! Et tiens... »

Plein écran, papa fait claquer un bras d'honneur renforcé d'un médius brandi, geste que certains littératueurs à gages désignent par l'élégante locution de « doigt gras ».

– Vous avez vu ? s'offusque le bœuf-carottes. Votre père m'adresse des gestes obscènes !

– Pourquoi à vous ? Il ne sait même pas que vous êtes là.

– Ces pantomimes turpides me sont destinées, je le sens.

– Si c'est le flair... L'odorat étant la qualité première d'un policier, sans doute avez-vous raison.

Le capitaine Dewessau affiche une brusque lassitude. Il coupe caméra et micro et me fait face, l'air abattu :

– Votre père me prend pour une ordure, vous me prenez pour une ordure ! Tout le monde me prend pour une ordure...

– Sauf le ministre.

Pour la première fois, je le vois sourire. Enfin, sourire... : une crispation des commissures, un amer rictus américain à la Bogart.

– C'est parce qu'il me prend pour une ordure que le ministre me confie des missions ordurières.

– Pourquoi les acceptez-vous ?

– Par lâcheté.

– Ordure et lâche, ça fait beaucoup pour un seul homme, non ? Je suis certain que vous noircissez le trait.

– Je peux fumer ?

– Vous êtes le chef, et c'est vos bronches.

Il sort un paquet de Malbarrée avec un faire-part de deuil sur fond rouge – cancer généralisé – et les trois K du Ku Klux Klan en réserve blanche.

N'ayant point d'allumettes, Anselme renonce à sa bouffée d'oubli. Il jette sa clope à terre et l'écrabouille avec l'acharnement que tu mets à exterminer une blatte.

– J'aime Puccini, murmure-t-il, et je ne l'écoute jamais. En mer, je pense au mont Cervin. A la campagne, je m'ennuie du quartier

Latin. A New York, les ruelles de Naples me manquent. Au Tonkin, j'ai envie de manger une choucroute. J'adore me faire lécher les couilles et j'ai épousé une Versaillaise. Je ne profite jamais de l'instant que je vis. Je crois que c'est pour ça que je suis une ordure.

– On ne peut pas être une vraie ordure quand on aime se faire lécher les couilles.

Le capitaine approche son nez de mon cou. Je sens le souffle tiède de ses narines qui palpitent.

– C'était toi, l'infirmier qui m'a piquouzé, n'est-ce pas ? J'ai tout de suite reconnu ton eau de toilette. Tu l'as dit toi-même : le flair, c'est le principal attribut d'un bon flic.

– J'ai fait ça pour mon père, plaidé-je.

– Tu as eu raison. Parce que ton père, tu n'es pas près de le revoir !

– C'est vrai que vous êtes une ordure... conclus-je en lui explosant la terrine d'un coup de bélier sur l'arête du naze.

(Ho la la ! Il est temps de reprendre les choses en mains.

Rends-moi la plume, fiston, sinon tu vas te retrouver dans un inextricable merdier ! Un jour, tu assumeras tout seul le monde de San-Antonio, c'est de tradition familiale, mais en attendant, laisse-moi manœuvrer, dans ton propre intérêt !

Reprenons à :

« *J'ai fait ça pour mon père* », et modifions le cours du destin.

Voilà comment répond dorénavant Anselme :)

– Tu as eu raison. Moi, je n'ai jamais pu faire quoi que soit pour mon père ; j'avais six semaines quand il est mort.

– Non, vous n'êtes pas une ordure ! Papa est innocent, et vous allez l'aider.

– Oui, petit, je vais téléphoner au ministre, et tout va s'arranger d'un coup de baguette magique. On tirera même un feu d'artifice, et ma femme me lèchera les boules, croyant qu'il s'agit d'un sorbet fraise vanille.

– Puis-je vous embrasser, capitaine ?

– Serrons-nous la main, mon garçon, ce sera plus viril...

(Stop ! N'importe quoi !

J'avais prévenu le typographe : jamais de chapitre 13 dans un *San-Antonio*, ça lui tourne le citron, rapport à sa superstition.

En vérité, mon fils ne défonce pas la tronche

du bœuf-carottes, pas plus qu'il ne lui serre la main.

Et si Dewessau est peut-être moins une ordure qu'il y paraît, il l'est bien davantage que tu ne le penses.)

L'avenir nous le confirmera.

Sai induve tù nasci
Ma micca induve tù ai da more.

Tu sais où tu es né
Mais pas où tu vas mourir.

14

– N'empêche

que si on était là-bas, nous,
les Irakiens, on les ferait valser !
– Oui, mais on n'y est pas, objecte Leonetti.
– La faute à qui ? A notre président qu'a pas de burnes !
– On les a pourtant vues dans Paris-Match *:*
c'est pas des cerises à l'eau-de-vie...

On nous transborde dans une Renault Espace banalisée vers l'aéroport de Bastia-Poretta où nous serons embarqués à destination d'Orly à bord de la première navette du matin.

Béru et moi occupons les sièges du milieu. Je suis surpris qu'on ne nous ait pas menottés, la sécurité enfants me paraissant un peu chiche pour enrayer toute tentative d'évasion. Il est vrai que mes états de services et les ronflements de l'Immonde n'incitent guère à la méfiance, d'autant que deux malabars de la B.A.T. nous surveillent depuis la banquette arrière, enfouraillés jusqu'aux ouïes. Le commandant Leonetti est assis sur le siège avant, à la place du mort.

La nuit serait aussi sombre que notre destinée si un petit prince tapissier n'en avait parsemé le velours de quelques clous dorés. (Au fil de mes narrations, je disperse ainsi quelques phrases pompemoileneuses afin de m'assurer qu'aucun plagiste n'aura le front de me copier.)

Nous venons de traverser Saint-Florent et, escortés par la lune qui décroît à presque plus rien, bifurquons à droite sur la départementale 82. Une envie de me gratter l'oreille m'empare tout à trac. Je décide d'y résister et me lance un défi stupide : si je tiens sept kilomètres sans céder à cette démangeaison – le sept étant mon chiffre fétiche –, un événement miraculeux va se produire et la vie reprendra son cours de long fleuve se jetant dans l'océan du néant, certes, mais tranquille. J'agrippe les accoudoirs pour occuper mes mains. Lutter contre un grattouillis relève du masochisme poussé juqu'à la quintessence (de térébenthine) et au paroxysme (de Suez). Par la voluptueuse insupportance qu'elle engendre, cette sensation doit s'apparenter à l'orgasme refoulé d'une femme violentée. Mes yeux ne quittent plus le tableau de bord et le lambin défilement du compteur dont le chiffre des centaines tarde à fabriquer des kilomètres.

Pour m'occuper l'esprit, je bavarde avec le commandant, homme de tempérament.

– Dites-moi, Leonetti, qu'est-ce qui motive un Corse à vouloir faire régner l'ordre dans son fief natal ?

– Si je n'étais pas Corse, Commissaire, je me désintéresserais de cette terre et de ce peuple que les légions romaines décrivaient déjà comme le plus dégénéré de toute la Méditerranée !

– Vous êtes cruel.

– Objectif. Pourquoi vous tortillez-vous de la sorte ? Une mouche vous a piqué ?

– C'est une affaire entre moi et moi, maugréé-je.

Le compteur m'annonce qu'il va falloir tenir encore près de trois bornes.

– Vous savez, enchaîne Leonetti, il y a ici beaucoup de travail, pour un flic. Une île est limitée par sa taille non par sa dangerosité. En

Corse, les hommes ne supportent pas qu'on leur dise comment gérer leur pays, mais ils ne savent pas pour autant le faire. Ils respectent trop la loi de ceux qui n'ont aucun respect de la loi. Si je vous disais qu'un de mes lieutenants, recrue de qualité, natif de Sartène, a été obligé de prendre un pseudonyme pour ne pas porter préjudice à son père, mafieux notoire et notable fameux ! Et ma dernière affaire : un jeune Maghrébin d'Ajaccio, tout le monde l'aimait quand il était plongeur dans un restau de la ville. Il a mis de l'argent de côté pour ouvrir une petite boîte à couscous. Certains lui ont conseillé de ne pas le faire. Il l'a fait quand même, résultat : boum ! Il ne l'ont pas tué, ils s'en sont pris au matériel. Il va rentrer à la Courneuve, c'est plus paisible.

– C'est étrange, tous les gens que je rencontre ici me semblent raisonnables, capables d'assumer des responsabilités, mais découragés et d'une sévère lucidité envers leur patrie.

– Parce que vous n'avez pas interrogé les crétins. Ceux qui picolent dans les « caboulots » en annonçant qu'ils vont tuer Untel ou Machin, et qui, un soir qu'ils ont dépassé la dose, mettent à exécution leur vantardise. Alors ils fuient dans le maquis, se tricotent une cagoule et se proclament indépendantistes. Mais ces bandits soi-disant d'honneur ne sont que des assassins à la mie de pain.

« Plus que neuf cents mètres ! » songé-je *in petto.*

– Et les imbéciles qui allument des incendies pendant l'été pour se venger d'un voisin ou regarder passer les canadairs ? insiste Leonetti.

– Il y a des abrutis partout.

– Sans doute, mais quand les non-abrutis se font les complices tacites et duplices des abrutis, voire hissent ces zéros au rang de zorros nationaux, on en vient à constituer une véritable abrutocratie.

Le commandant m'observe avec inquiétude.

– Qu'est-ce que vous avez à trembler ainsi, San-Antonio : une crise de palu ?

– Non ! Un problème d'oreille...

Mes trépidations éveillent en sursaut Bérurier.

– Tu t'pignoles, ou c'est les amortisseurs qu'ont pété un joint d'cul-lasse ?

Plus que trois cents mètres... deux cents... cent... top ! Pari tenu.

Je pousse un typhon nagasakiesque en me frictionnant le lobe. Tu veux la vérité ? Le soulagement n'est pas proportionnel au sévice que je me suis infligé. Un malheureux coup d'ongle, et tout est oublié. Je me demande même si l'omoplate ne me démangeait pas davantage que l'oreille, c'est bête, hein ?

T'y crois, toi, à la superstition ? Bien sûr que non : ça porte malheur. Eh bien, cette fois tu te goures, mon coco ! J'ai enduré l'insoutenable légèreté d'un chatouillis juste pour défier le rationnel et, pour une fois, l'irrationnel me le rend au centuple.

Nous dépassons une pancarte criant « non à la garrigue transgénique » et pénétrons dans le village endormi d'Oletta. Leonetti lance alors un cri d'alarme.

– Attention !

– Qu'est-ce qu'il y a, chef? s'informe le conducteur en ralentissant.

– Un arbre, couché en travers de la route !

– Je ne vois pas d'arbre, on est en plein village.

– Arrête-toi, je te dis. Tu ne vois pas les cagoulards ?

– Heu, non.

– Et vous, les gars ? questionne le chef de patrouille en se retournant.

Les deux costauds se concertent.

– De là, on est mal placés, répond celui de gauche dont le cerveau fonctionne un rien plus vite que celui de son collègue.

– Ils sont une vingtaine, armés jusqu'aux dents. Il faut éviter le bain de sang ! poursuit Leonetti, exalté. C'est bon, les gars, ne tirez pas !

Le Mastard me pousse du coude.

– Tu mates quelque chose, toi ?

– Oui, la rue paisible d'un patelin ensommeillé.

Le commandant sort du véhicule, bras levés.

– On les libère sans problème, mais ne faites pas de mal à mes hommes !

Il ouvre la portière coulissante située de mon côté.

– Allez ! Barrez-vous. Vite fait !

Je sors d'un bond et aide l'Enflure à s'extirper. Leonetti remonte dans l'Espace qui démarre à tombereau ouvert, nous grêlant de gravillons. Les feux arrière du véhicule disparaissent dans la nuit redevenue paisible.

– Il a fumé son tapis de sol ? bougonne Béru.

– Non, il obéit à des ordres venus d'en-haut.

– Tombés du ciel ?

– Du ministère : c'est plus sérieux.

Si je possédais un œil sur l'occiput et les facultés nyctalopes de ta fiancée, je remarquerais cette moto noire au coin d'une ruelle, phare éteint, moteur coupé, dont le cavalier nous épie derrière son casque intégral. Mais, tu le sais, mon style me pousse plutôt à regarder de l'avant.

Nous remontons la rue principale d'Oletta. Le village est placé sous anesthésie générale. Le Gravos souffle comme un phacochère entre les portes idem.

– Tu croyes qu'on peut encore trouver un troquet ouvert ?

– A quatre plombes du mat' ?

– Moi, ça m'allait comme un onguent qu'on nous ram'nasse à Pantruche, r'trouver Pinuche, l'muscadet, les pots d'échappement, la civilisation, quoive ! Et pis surtout ma Berthe. Tu sais qu'y doit s'faire chier, Alfred, de tringler ma Gravosse sans que je risquasse d'leur tomber sur les endosses ? Un soir, sous le secret du juliénas, y m'a confié qu's es plus grands panards a'ec ma légitime, il les pr'nait en m'entendant grimper l'escadrin. Faut qu'il m'aye vraiment en estim' pour m'raconter des trucs aussi z'intimes !

Nous poursuivons notre chemin dans la cataleptique bourgade. Une virgule de lune semble s'être empalée sur la flèche de l'église.

– A t'n'avis, pourquoi t'est-ce qu'on nous a libérationé ?, demande l'Enflure, l'haleine courte (en rythme, pas en fétidité).

– Afin qu'on serve d'appât.

– Pour attraper qui ?

– J'ai ma petite idée...

– Et Toinet cochonnerait c'projet d'nous faire jouer les chèvres, au risqu' d'la peau d'son père ?

– Il n'a peut-être pas eu le choix, ou il n'est pas au courant, fais-je, dissimulant mal ma maussaderie.

– Et où qu'on va comme ça ?

– A Bastia.

– C'est loin ?

– Une vingtaine de bornes.

Béru manque de s'étrangler.

– A pincebroques ? T'es cigogné du bulbe ! Pense à mes cors aux pieds et à mes cors-auxnerfs ! Et qu'est-ce qu'on n'irait fout' là-bas ?

– Chercher une clinique.

– T'es malade ?

– D'impatience, oui. Je brûle de rencontrer Mme Follducq.

– La môme dont tu l'aurais amputassée d'une paluche ? C'est pas bête en soite d'y faire cracher l'morcif, mais faut qu'on dégauchisse d'abord un bahut !

Il se fige tel un labrador obèse oyant le râle d'une sarcelle canardée dans les roseaux d'un marécage. C'est devant la croix verte d'une pharmacie qu'Alexandre-le-Valeureux marque l'arrêt. Il me désigne la sonnerie d'urgence.

– J'ai une idée ! glapit-il. On réveille le pharmaco sous pré-test d'ach'ter du lait de première rage et on réquisitionne aimabl'ment sa bagnole, plus un flacon d'alcool à quat'vingt-dix et d'l'éliskir parégothique pour s'composter une anisette, c'dont j'ai appris la formule quand j'étais p'tiot en Normandie. Tu voyes, c'qui m'chiffonne chez les Corsicos, c'est qui s'croiv' seuls à êt' orgueilleux d'leur bled. Mégnace personnellement, j'sus plus fier d'être né natif de Saint-Locdu-le-Vieux, qu'si je serais de Calvicci ou de Bonimento !

– Si l'apothicaire pouvait aussi me délivrer un antidépresseur, ça m'aiderait à supporter tes conneries ! Lui piquer sa tire...

– Ho ! Tu vas pas m'faire la morale ? T'arrêtes pas d'chourer des guindes d'puis qu't'a débarqué sur l'Ntamack de la raie au porc !

– S'agit pas de morale, mais de logique. On n'aura pas quitté Oletta qu' à moins de l'égorger, le potard aura ameuté la garde.

– Pourquoi les perdreaux nous arrêteraient alors qu'y viennent tout just' d'nous r'lâcher ? objecte Béru, animé par un vieux fond de réalisme paysan.

Pas le temps de lui expliquer que la Brigade antiterroriste attend de nous des actes, pas des exactions, car une affichette apposée sur la vitrine de la pharmacie captive ma pensarde :

Les Ambulances du Bourg
24 heures sur 24
à votre secours !
tel : 060728...

Je suis déjà en train composer ce numéro de bigophone because, aussi extravagant que cela puisse paraître, on ne m'a pas fouillé à corps. Je dispose donc toujours de mon morlingue, de mon petit calepin et du portable de l'infortunée Corinne. Crois-tu à une étourderie ou à une omission volontaire ? Je m'enquiers auprès de mon alcoolyte :

– Et toi, Gros, ils t'ont confisqué le pistolet de Pantaléon ?

Il padiraque les poches de son futal.

– Non ! Je l'ai toujours ! L'est tellement lourd qu'j'ai cru qu'c'était une de mes douilles.

Une voix envapée répond à mon appel après la onzième sonnerie.

Dix minutes plus tard, un break Mercedes rehaussé rapplique sur la place de l'église. Les ambulances et les corbillards ne se différencient que par la couleur. Il est vrai que, souvent, les unes remorquent les autres.

Un grand rouquin frisotté descend du véhicule. Il a enfilé à la hâte une blouse blanche par dessus son pyjama de zèbre trop souvent mais trop mal léché. D'emblée, il me presse la louche.

– Popaul Dubours, ambulances du bourg, c'est vous qui m'avez appelé ?

– En effet.

– Il est où, le blessé ?

– Là ! dit Béru en le fulgurant d'un crochet à la pointe du menton.

– On avait dit qu'on négociait la course ! protesté-je.

– L'négoce, ça prend du temps. Et moi, j'ai soif.

La préposée aux urgences de la clinique Defonsi n'est pas impressionnée par ma tenue carabine (j'ai revêtu l'habit de l'ambulancier, en douterais-tu ?) mais par mon physique d'éternel jeune premier. Elle croise si haut les jambes que j'entrevois le fond (baptismal) de sa thyroïde.

– C'est grave ? me demande-t-elle.

– Une belle entorse. Je lui administré deux comprimés de foutralgan. Ça peut attendre.

– Tant mieux, parce que l'interne est débordé. Il se retrouve avec cinq blessés par balles sur les bras : une chamaillerie de famille.

– Mon collègue s'occupe du patient ; moi, je vais aller en griller une petite. Vous finissez à quelle heure ?

– Midi et demie, je viens juste de prendre mon service. Mais je suis assez libre, après.

Elle remet ses cuisses en pole position,

me laissant apercevoir le gouffre abyssin[1] de ses sinus. Je fais mine de ressortir sur le parking des urgences, contourne la salle d'attente et m'engage dans les escadrins. Premier étage, chambre 107, j'ai lu l'info sur le tableau des admissions placardé dans l'entrée. Je ne suis pas surpris de découvrir un gendarme en faction devant la chambre de Corinne Follducq, ça fait partie de l'habituelle procédure de protection des personnes agressées.

Au bec, une Gitane-filtre étouffée de cendres, le zigue dodeline du képi, assis sur un tabouret. Il ne m'a pas entendu rappliquer. J'entre en catimini dans la piaule 105 avant qu'il ne cille. A la lueur verdâtre de la veilleuse, je marche sur la pointe des ribouis, frôle le lit. Une voix d'avant-tombe me hèle :

– Dites-moi franchement, docteur : est-ce que je vais mourir ?

Je me penche sur une vieillarde aux traits ravagés par la douleur et l'insupportance de vivre.

– Oui, madame.

---

1. C'est étymologiquement prouvé : « abyssin » signifie « abyssal avec du poil autour ».

– Merci.

J'enjambe la fenêtre et, au prix d'une cascade que je te décrirai quand on publiera les San-A en 3-D, je me faufile jusque dans la chambre 107.

Un pansement mahousse comme un cocon de diplodocus autour du bras, une batterie de perfusions sur l'autre bord, Corinne Follducq somnole, le front emperlé de sueur. Dieu qu'elle est belle dans sa résignation !

D'un friselis d'index, je lui caresse la joue. Son minois est agité de mimiques incontrôlées. Toutes les tracasseries de l'existence se lisent sur le visage d'un être qui s'éveille. Ça prend un certain temps avant qu'elle ne m'entrevoie et puis me remette.

– San-Antonio ! s'écrie-t-elle.

– Chut !

– Je vous jure que...

– Chut !

– Je vous jure que vous m'avez fait jouir comme jamais auparavant.

Je calque mes lèvres sur les siennes. Elles sont tièdes, avec un goût de convalescence.

– Il va falloir tout m'expliquer, Corinne.

– Impossible.

– La police m'a libéré. Elle ne croit pas à votre histoire.

– Alors, mon petit Loïc sera condamné.

Je dégage mon mouchoir et lui éponge les tempes. J'ai vu Gary Cooper le faire avec une jeune indienne, et tout le cinoche pleurait. Alors si t'es pas ému, Bande-mou, c'est que t'as le cœur en marbre de Carnac.

– Je suis le seul à pouvoir vous aider, il faut me faire confiance. Je vais déjà vous raconter ce que je sais, et vous compléterez mes lacunes, d'accord ?

– D'accord.

– Votre fils Loïc venge son père en tuant Ignace Deloyo, le frère de Colombina Buonamorte. Il va bientôt être jugé pour ce meurtre. Le plus souvent possible, selon vos moyens, vous lui rendez visite à la prison de Borgo. Exact ?

– Exact.

– Il y a quelque temps, un jeune homme vous aborde. Un Pozzo di Zobo… Dino ou Rocco ?

– Freddo.

– J'ignorai ce troisième larron. Un frère des autres ?

– Un cousin. Ça fait quelque temps que je ne l'ai pas revu.

– Parlez-moi de Dino, celui qui a été abattu dans le minibus.

– J'ai juste entendu le coup de feu. Raphaël a dit que vous l'aviez tué.

– Raphaël ? C'est le type à la cagoule fardée de rouge ?

– Oui. Rocco et moi, on l'a cru.

– Vous avez déjà vu son visage, à Raphaël ?

– Non. Et il déguise sa voix. Je ne sais même pas s'il s'agit d'un homme ou une femme.

– En tout cas, ils appartiennent ou appartenaient tous au mouvement « *Incullata Corsa* ».

– Je l'ignorais. La politique ne m'intéresse pas !

– Les Pozzo di Zobo vous ont demandé de piéger un certain commissaire San-Antonio qui allait rappliquer à Bastia. Le rodéo de l'aéroport était réglé comme les ovaires de votre belle-mère depuis qu'elle se colle un patch sur les miches, non ?

– Oui. Tout était prévu, sauf que vous alliez emprunter le minibus.

– Je suis habitué à perturber les projets

d'autrui. Mais vos amis n'ont pas tardé à reprendre les choses en main.

– Ce ne sont pas mes amis ! s'exclame Corinne.

La porte s'ouvre à la volée. Une infirmière entre dans la piaule, précédée de son chariot, ce qui me donne le loisir de me tapir en descente de lit.

– On va changer le pansement ! lance une voix que je suppute réunionnaise.

– Non ! Pas maintenant ! implore l'alitée. Je commençais à m'endormir.

– Alo's, on va wégler le goutte-à-goutte.

– Plus tard, tout va bien.

– Ça m'awange, pa'ce que la vieille d'à côté, elle vient de twépasser avec un beau souwire aux lèwres. Mais faut fai'e les papiers, la toilette et tout le bowdel...

La doudou s'évacue (en Corse, on dit « zévaco »). Je me relève.

– Pourquoi ne pas m'avoir dénoncé ? questionné-je.

– Ça m'awange ! remise Corinne, parodiant l'accent de l'aide-soignante. Si quelqu'un sait que nous nous sommes parlés, jamais je ne reverrai mon fils.

– C'est à travers lui qu'on a barre sur vous, n'est-ce pas ?

– Je vais tout vous raconter. Freddo m'a présenté un grand type avec le crâne comme le fond d'une cage à serins...

– Armand Culpa ?

– Oui, mais laissez-moi parler ; je suis lasse et j'ai hâte d'en finir. Cet homme m'a proposé un deal : si je marchais avec eux, mon petit Loïc avait une chance de s'en tirer. Il savait que j'étais prête à tout pour sauver mon enfant.

– La main sur le billot... ma main à couper... Les expressions ne manquent pas.

– Au départ, je devais simplement vous aiguiller sur Santa-Pina...

– D'où le coup de fil passé par Crâne-pourri, émanant soit-disant de votre crêpier de mari, et qui allait immanquablement m'entraîner vers cette piste ?

Je soulève la nuque de Corinne et l'aide à boire une gorgée d'eau. Kirk Douglas l'a fait dans un film dont la débilité est restée gravée dans toutes les mémoires.

– Et puis ils vous ont demandé davantage : être amputée et me dénoncer comme l'auteur de cette mutilation ! C'était une façon de les aider tout en payant la dette de votre garçon.

– J'ai accepté... pardon !

– Qu'avaient-ils donc à vous offrir en échange ? m'interloqué-je-tu.

– Il était l'ami de l'amant de la sœur du type que mon fils a tué !

Je me frictionne les temporaux.

– On récapépète dépilbédu[1] ! Vous voulez dire qu'Armand Culpa était l'ami du peintre Michel Ange, lui-même amant de Colombina, elle-même sœur d'Ignace Deloyo, lui-même abattu par Loïc pour venger son père.

– Simple, non ?

– Comme toutes les histoires corsées. Et alors, l'enjeu pour votre fils ?

– Si j'acceptais de vous compromettre, on me garantissait le non-lieu pour Loïc. C'est presque acquis : tous les témoins du meurtre se sont rétractés. Ils se souviennent soudain de n'avoir

1. Un salut à Magdane qui est si drôle en one-man-chauve et si émouvant en acteur.

rien vu à cause du brouillard. Aucun ne viendra au procès.

– Vous rendez-vous compte que vous m'accusez d'un crime pour lequel j'encours vingt ans de prison alors que je suis innocent et que Loïc est coupable ?

Corinne saisit mes doigts et les attirent sensuellement vers sa bouche.

– Vous avez été mon amant d'un jour, il est mon fils pour toujours.

Je me dégage sans brusquerie ni tendresse.

– Je ferai ce que je pourrai pour vous, madame Follducq, si je m'en sors.

Je m'apprête à partir comme je suis velu, mais sans passer par la piaule de l'enfin-morte.

– Attendez, commissaire. Un détail me revient. Je ne sais pas si ça pourra vous être utile, mais...

Cette réplique, il me semble l'avoir déjà entendue dans un film muet, ou lue dans un feuilleton américain sous-titré en lituanien moderne.

– Dites toujours.

– Armand Culpa, il a parlé de sa sœur à plusieurs reprises. Ils avaient l'air très liés.

– Vous souvenez-vous de son prénom ?

-...Maxima, me semble-t-il. Je crois qu'elle est gynécologue à Ajaccio.

– Merci, et bonne chance à Loïc.

Le quartier des urgences est en charivari. L'interne de service pousse hors des lieux une épave titubante en laquelle j'identifie l'impérissable Bérurier.

– Allez, dehors, sac à merde ! vitupère le jeune toubib.

– Que se passe-t-il ? m'alarmé-je.

– On croit rêver ! Ce gros dégueulasse a bu tout l'alcool à 90° !

– Ça dessoiffe ! plaide Alexandre.

– Et puis l'éther !

– Ça ramone.

– La javel !

– C'est goûtu.

– Les analyses d'urines !

– J' croyais qu'c'était du blanc.

– Et même les poches de sang !

– J' croyais qu'c'était du rouge.

Beati pauperes spiritu.
(je sais que c'est pas corse, et alors ?)

15
L'ambulancier

nous a conduits lui-même jusqu'à Ajaccio.
Il nous a pris pour des indépendantistes
et a juré qu'ils ne nous trahirait pas : si je vous trahissais,
je demanderais à mon propre moi de me tuer moi-même.
Et puis, il nous a fourni son interprétation
de l'actuelle guerre d'Irak :
« Le préfet Rastignac avait découvert le pot-aux-macs
sur les machines à sous !
Des magouilles entre Américains et Arabes.
Le continent l'a fait éliminer et ça a débouché
sur un conflit mondial : c'est normal ! »

Une pupille s'inscrit dans l'œilleton. Elle me paraît aussi lointaine que la planète Mars dans ce prisme inversé.

– Je suis gynécologue, je ne reçois que les femmes ! grommelle derrière la porte une voix rogue.

– Il faut que je vous parle ! insisté-je.

– Fichez le camp, sinon j'appelle la police !

Je placarde ma brème de matuche devant le judas.

– On est la police ! Ouvrez, madame Culpa.

Les six verrous s'actionnent les uns après les autres comme pour une levée d'écrou.

Maxima Culpa ressemble à son frère en moins jeune, mieux chevelue et plus masculine.

– Lui aussi, c'est un flic ? s'exclame la doctoresse en matant Bérurier dont le regard semble fraîchement extrait d'un bocal de formol.

– Un officier de grande qualité, docteur, malgré ses appas rances. Je dois vous entretenir de toute urgence.

– Entrez. Si c'est pour m'annoncer la mort de mon frère, c'est fait. La gendarmerie vient de découvrir son corps horriblement mutilé dans notre chapelle de famille. Elle m'a conseillée de me méfier, d'où mon accueil un peu frais.

Maxima nous entraîne dans sa salle d'attente désertifiée.

– Depuis que j'ai appris la mort d'Armand, je n'ai plus de goût à rien. Je vais lâcher mon boulot et aller m'allonger près de lui à Santa-Pina, pour l'éternité.

– Les morts sont rarement de bonne compagnie.

– Je sais. Leur principal défaut, c'est qu'on finit par les oublier. Quand j'ai perdu mes parents, je pensais devenir adulte. Je suis simplement devenue vieille à mon tour.

– J'ai des questions brûlantes à vous poser, Madame.

– Bien sûr. Néanmoins, accordez-moi quelques minutes. J'ai une patiente sur la table d'auscultation, je ne puis l'abandonner dans cette posture.

L'Apocalyptique réagit au quart de foutre.

– L'impatiente, j'm'en occupe, madame Docteur. N'attendant, répondassez à mon collègue ici présence.

Il s'esbigne en direction du cabinet.

Auteur, s'il vous plaît, suivez Mister l'Enflé, quelques instants, ça en vaudra le pénis. Comment pourrais-je résister à pareille injonction d'incoordination ?

De fait, Alexandre investit l'antre de la gynéco. Une jeune femme frêle et romantique est allongée sur le dos, pattes écartées, les talons sur les étriers. Elle sursaute à l'aperçoivement du Mastard.

– Qui êtes-vous ?

– Professeur Bérunbaum, d'la fac de Saint-Locdu ! C'est moi qu'j'ai tout appris à vot' génie-collègue. Elle m'a fait appel en consultance. C'est quoi, z'auguste, vot' problème ?

– La mesure de mon vagin, pour avoir des enfants.

– Il est trop large ?

– Trop étroit.

La bouille d'Herr Doktor s'évase comme un coulommiers à l'abandon.

– Alors là, ma p'tit' dame, vous n'pouviez pas mieux tomber ! L'alésage, c'est just'ment mon spécialité !

Back to the waiting-room, please !

Maxima Culpa n'est pas du genre à larmoyer. Son œil s'est tari depuis longtemps. Je perçois cependant quelques glouglous étouffés de son âme.

– Nos parents nous ont réussis dans le désordre, dit-elle. Armand aimait les garçons et moi les filles, mais on étaient complices. Je ne comprends pas pourquoi il est mort aussi sauvagement.

– Moi non plus, susurré-je. Mais je pense qu'en conjuguant nos efforts, nous pourrions y voir plus clair.

Chagrine mais corse, Maxima attend que je lance le débat. Ce que je.

– Armand tenait à Paris un restau à la mode, juste ?

– Juste.

– Parallèlement à cette activité, il exerçait des responsabilités au sein de l'organisation séparatiste dissidente « *Incullata Corsa* »...

La gynéco se rebiffe :

– Ne me demandez surtout pas de...

– Je ne demande pas, je dis.

– Bien. Poursuivez.

– Il y a un peu plus d'un mois, votre frère Armand est officiellement décédé d'un cancer...

Maxima se contracte. Je tente de la rassurer :

– Attendez ! On va faire le contraire d'un jeu radiophonique : c'est pas ni oui ni non, mais oui ou non. D'accord ?

– D'accord.

– Étiez-vous à l'enterrement bidon d'Armand ?

– Oui.

– Vous saviez la raison de cette mascarade.

La toubibesse hésite.

– Il s'agit de trouver l'assassin de votre frère... Je répète : connaissiez-vous la raison ayant poussé Armand à feindre sa disparition ?

– Oui

– Je vous écoute.

Comme elle hésite encore, j'éructe une énorme gueulante.

– Bastia ! Vous n'allez pas vous montrer aussi kilométriquement bornée que les hommes ? C'est à cause du principe imbécile qu'un Corse ne doit jamais rien dévoiler que votre patelin périclite, qu'il ne sortira jamais du Moyen-Age ! Qui cherchez-vous à protéger ? Pascal Paoli, le cardinal Fesch, Napoléon Buonaparte, Tino Rossi ? Soit vous faites un effort, soit je me casse ! Et les tortures infligées à votre frère resteront une vendetta à perpétuer. J'en ai classe des paroles pour ne rien dire et des silences qui en disent long. Je rentre en France et j'oublie votre putain d'île ! Comme tous les bons gogos, j'irai passer mes vacances en Espagne, là où les gens poussent des consonnettes encore plus crétines que les vôtres, mais réussissent le jambon et savent au moins nous accueillir avec un sourire !

– On ne m'avait jamais parlé ainsi !

– Désolé ! J'ai pris le maure aux dents !

Maxima semble troublée par mes propos.

– Vous avez raison. Ici, on crève de non-dit, de mal-dit, de faut-pas-dire, d'il-a-trop-dit, d'il-dira-plus !

– Alors : qu'elle dise, merde !

Docteur Culpa balaie d'un geste rogneux les revues périmées empilées sur une table basse.

– Son restaurant était passé de mode, Armand avait appris qu'il était séropo. Il avait envie de vivre une dernière aventure : celle d'un mec pété de thunes à qui aucun giton ne pouvait résister. L'occasion lui en était offerte : deux magnifiques pierres, les plus beaux rubis du monde. Il avait la possibilité d'aller les cueillir. Seulement, il devait disparaître, se rayer de la carte des vivants, selon sa propre expression.

Un drôle de shimmy se déclenche dans ma calbombe. Mes idées font la ronde et s'étirent en filament comme les particules de sucre dans la turbine d'un marchand de barbe à papa. Les pièces du puzzle s'assemblent, mais sur une plaque vibrante.

– Je commence à comprendre, psalmodié-je, bonze en lévitation.

– Expliquez-moi.

– Je vais faire tourner des assiettes dans ma tête. Si certaines s'écrasent au sol, ne balayez surtout pas : les morceaux sont entiers.

Maxima Culpa respecte ma transe, écoute mon délire, si très mince qu'il vient enfeuiller d'or les parpaings de la réalité.

– Dans la prison de Fresnes, un vieux bandit corse moisit en attendant sa libération. Il s'appelle Gracieux Furetti, dit La Fourette. Jadis, il a perpétré un coup fabuleux dont il n'a pas profité, se retrouvant en cabane. Il sait – et il est le seul à savoir – où sont planqués depuis des lustres les deux rubis les plus estimés de la Création. Malheureusement, sa prostate le rattrape et lui bouffe les os. Il pige qu'il va canner sans mettre la main sur ses pierrailles.

– Je ne vois pas le rapport avec la tragédie de mon frère ! renâcle Maxima que j'aurais aussi poétiquement pu prénommée Méa, mon gland.

– On y viendra, ne m'interrompez pas. La Fourette trouvait trop cave que personne ne profite jamais de son trésor. Alors il choisit l'homme à ses yeux le plus méritant de toute la centrale : Pantaléon Buonamorte. Il lui explique où et comment s'accaparer les pierres. Une partie de cette confession est enregistrée par l'administration pénitentiaire qui, soupçonnant Buonamorte de fomenter une évasion, l'a placé sur écoutes.

– Mais Armand, dans tout ça ?

– J'ai éprouvé quelque difficulté à faire le lien, mais je viens de comprendre. Avant de lâcher la rampe, Furetti parvient à transmettre le secret à Buonamorte, hors les micros de la flicaille. Pour l'inciter à le faire évader, Pantaléon promet à son ami Situcci de partager le pactole avec lui. Les Indépendantistes sont à l'affût de tout subside, d'où qu'il vienne ; c'est ce nerf qui fait aussi marcher les révolutions.

– Mon frère n'avait aucun lien avec Situcci Paoli ni avec sa « *Cunculca canal hystérique* » !

– Sans doute. Mais je vais vous dire ce qui s'est passé : Colombina venait voir régulièrement son mari au parloir. Même les vieux macs, quand ils tâtent trop longtemps du cachot, deviennent des michetons. Pantaléon a craché le morceau à sa souris qui s'est empressée d'aller engourdir le magot.

– Où est le rapport avec Armand ?

– Ne pouvant pas trop compter sur son amant, barbouilleur raide du pinceau mais trouillard comme une lope, Colombina a décidé de jouer le coup avec un mec pédoque mais plus solide.

– Mon frère ?

– Ma théorie rejoint la vôtre. Armand allait s'emparer de deux rubis légendaires, non ?

– C'est ce qu'il m'a dit.

– C'est pour le faire taire qu'il a tué Michel Ange !

Maxima se mue en Colomba, celle de Mérimée, pas la Colombina de Buonamorte.

– Vous êtes cinglé ? Michel et Armand étaient comme deux frères ! L'un draguait les minettes et l'autre les éphèbes, ils se partageaient l' X-Y et le 2X sans litige de literie, c'était le bonheur ! Il n'y a jamais eu entre eux un mot plus haut que l'autre.

– Un geste, peut-être ? J'ai l'intime conviction que votre frère l'a assassiné !

– Vous me demandez de ne rien taire, mais je ne peux pas pour autant vous laisser dire n'importe quoi ! Jamais, vous m'entendez, jamais mon frère n'aurait fait le moindre mal à Michel Ange !

Sa force de percussion est telle que je suis pris de doute et branlé.

– Bien. Disons qu'une tierce personne tire les ficelles, quelqu'un du nom de Raphaël, homme ou femme. Ça vous dit quelque chose ?

Sa nouvelle hésitation exacerbe mon horripilance.

– Cet individu porte une cagoule brodée aux lèvres et à la bouche d'un ourlet rouge.

– Il arrive que son nom soit parfois cité comme leader emblématique d'« *Incullata Corsa* », mais je ne le connais pas. Vous avez ma parole.

– Si un jour vous le rencontrez, sachez que c'est lui qui a massacré votre frère.

– Si je le retrouve, je le tuerai !

– Et le dénoncer à la police, ça ne vous vient pas à l'esprit ?

– Pourquoi me posez-vous cette question ?

– Juste pour savoir si vous êtes capable de surmonter votre corsitude.

Il est rare qu'un sourire lesbien soit aussi aimable envers un hétérotextuel de mon acabite.

– Je vous ai dit que je le tuerais, pas que je le dénoncerais. La réponse vous satisfait-elle ?

– Abandonnons le sujet : « la masturbation rend sourd et les Corses ne sont pas manchots », pour en venir au cœur du problème. Quand avez-vous vu Armand pour la dernière fois ?

– Quelques jours après sa pseudo mort. Il m'a dit que le coup était prêt, qu'il lui fallait trois combinaisons de plongée, le matériel et les bouteilles d'oxygène qui vont avec, trois torches puissantes et des prières. Je lui ai tout fourni. Sauf les prières, et j'ai eu tort.

– Trois tenues sous-marines ? Ils vous a dit à qui elles étaient destinées ?

– Pas expressément, mais j'ai compris qu'il y en avait une pour lui, une pour Colombina et la troisième pour Michel Ange.

– Le peintre ? Je le croyais trop pleutre pour ce type d'excursion.

– C'est devenu un bellâtre soucieux de son

apparence, mais quand on était gamin, il était intrépide comme pas deux et le premier à explorer les grottes sous-marines, même en apnée.

Un hurlement de Calas supplicié en place de grève générale nous fige les moelles.

– C'est ma patiente qui crie ainsi ? s'affole la doctoresse.

– Ne vous inquiétez pas. Mon adjoint lui fait un doigt de cour. Tout va bien se passer.

Maxima Culpa affiche une moue de dégoût.

– Vous me faites marrer, vous les hommes, toujours prêts à fourrer votre nez dans un cul ! Venez un peu renifler les salpingites, et vous saurez de quoi je parle ! Mais le pire qu'on ait à affronter dans notre métier, c'est la fermentation des rillettes sous les seins des grosses qui se négligent.

– Vous aurez du mal à me dégoûter des femmes, toubib, et à m'éloigner de mes préoccupations. Je pense que tout a été manigancé par Colombina et que c'est elle, ce Raphaël à la cagoule brodée de rouge !

– Peut-être.

– Elle qui a mis le feu chez son amant après

l'avoir assassiné avec la complicité d'Armand, vous ne m'en ferez pas démordre. Elle qui a éliminé les Pozzo di Zobo, ses jeunes sbires. Elle qui a exécuté son mari à Santa-Pina dans la bétaillère à cochons pour qu'il ne puisse plus jamais parler des rubis à quiconque. Elle qui a tué votre frère qui s'était pourtant montré un complice plus que zélé.

– Pourquoi l'aurait-elle martyrisé de la sorte ?

En toute franchise, la question me turlupaffe depuis un bon moment.

– Imaginons qu'Armand lui ait subtilisé les bijoux, ou les ait troqués contre des faux. Elle s'en aperçoit, le torture pour lui faire avouer sa cachette, il flanche, elle le supprime. Ce serait une tragédie grecque si ce n'était déjà une pantomime corse.

Emporté par l'irrépressible élan de la déduction, je poursuis mon raisonnement à voix gommée.

– Colombina savait que mon nom était associé à cette affaire. Elle a décidé de me rendre témoin de la mort de son amant et de me faire porter le chapeau pour tous les autres assassinats, y compris celui d'Armand.

– Je ne comprends rien à ce que vous baragouinez.

– Votre frère a-t-il prononcé devant vous mon nom, celui de San-Antonio ?

– San-Antonio, c'est vous ? Je n'ai pas bien lu votre carte. Bien sûr, qu'il m'a parlé de vous. Il m'a confié un paquet qui provenait de votre maison de Saint-Cloud en me disant que s'il lui arrivait malheur, je pourrais à mon tour m'en servir pour récupérer le butin.

– Où est-il, ce paquet ?

– Dans mon cabinet ! Je vais vous le montrer...

Une sonnette trois tons retentit, tonitruante, dans l'entrée.

– Zut ! juronne Maxima. C'est Mme Custapiana ! J'avais oublié ce rendez-vous. Trois ans qu'elle part en coliques et qu'elle ne voit plus ses règles ! Je vais lui conseiller d'acheter une tonne de papier-cul et d'aller se faire doigter ailleurs !

La gynéco remonte son corridor tel un hussard magyar à l'assaut des Ottomans. Mesure de prudence, elle soulève le cache du judas. C'est justement par ce point faible de la porte que la balle s'introduit, tirée avec un silencieux.

Maxima la réceptionne en plein mille de l'œil droit. Elle s'affaisse contre le parquet du corridor dans une mare de sang égayée de menue particules de cervelle.

Le patinage artistique sur humeurs et viscères sanguinolentes n'étant pas mon sport d'élection, je rebrousse vers le cabinet qui, selon mon sens inné de l'orientation, donne sur l'avenue du Général Fiorella, où se jette le hall de l'immeuble.

Planté devant la fenêtre, Son Altesse A.B.B. peine à renfourner sa Guéménée à l'intérieur de ses oripeaux sanieux. Sur la table d'auscultation, la patiente s'évente la case départ avec un vieux *France-Dimanche.* Pommettes rougeoyantes, elle baigne dans une douce euphorie.

– Ouf ! On peut dire que vos méthodes sont efficaces, Professeur.

– Ah ça ! Maint'nant, z'êtes tranquille pour un moment. Le p'tit pourra sortir la tête haute sans frotter des épaules !

L'œil de la jeune femme se fait gourmand.

– Et dans le même genre, docteur, vous n'auriez rien contre la constipation ?

– Béru ! tonné-je. La toubib vient de se faire repasser. Le coup du serrurier à travers la lourde.

– Merde !

– T'as vu sortir personne ?

– Si, à l'instant, une grande bringue avec une tignasse noire, j' m'ai dit qu'elle portait une perruque en faux ch'veux. Elle a disparu à langue d'la rue. Moi, j'me démêlais a'ec ma braguette dont la ferm'ture Hitler coulisse moins bien a'ec le foutre, ce qu'est paradoxable, t'en conviens ? Elle v'nait juste d'entrer, la gonzesse. Elle avait dûze s'tromper d'adresse. Et pis, aut'chose : l'motard qui nous filoche depuis c't'e nuit, il est encore dans le coinceteau. J'l'ai vu passer deux z'ou trois fois su' sa bécane.

– Bien ! Au moins, ça bouge. J'ai besoin d'effectuer une perquise légère dans ce burlingue. Tu vas embarquer ta pécore vers la salle d'attente. Évite le couloir de la mort, elle nous ferait une syncope.

Le Gravos renonce à remballer coquette. Il la tend à sa « patiente » comme pour l'emmener au bal des Petits Lits blancs.

– V'nez, mon p'tit cœur. On va passer dans la pièce d'à côté. J'ai p't'êt une solution à vos problèmes de conclusion intestine. A condition qu'vous acceptassiez d'm'ravigoter l'gourdin, cela va d'soille !

Complètement ensuquée, la minette l'empoigne et le suit docilement.

J'ouvre les deux placards que comporte le cabinet. Rien d'intéressant, hormis des fiches médicales et quelques produits de première cessité.

Contrairement aux enquêteurs que tu vois opérer dans les films d'action à bas prix, je ne fouille jamais une pièce en vidant les tiroirs, en arrachant les tentures, en éventrant les canapés ou en désossant les meubles. Je m'assieds paisiblement sur une chaise et j'observe les lieux. San-Antonio est un chien de chasse, pas un chien fou. La pièce n'a rien d'exceptionnel pour qui a fréquenté un cabinet médical. On y rencontre le même bureau d'acajou du dix-huitième, tendance Barbaise, la bibliothèque clairsemée d'œuvres illisibles : le codex, le judex, le troudex et tous ces bouquins reliés plein pot qu'Hippocrate n'a jamais grattés ni Ambroise Paré jamais parcourus, les photos jaunies d'enfants en culotte de cheval ou en bord de piscine, d'une femme encore belle qui a été répudiée et s'est remariée avec un marchand de biens affilié à la FNAIM, le diplôme certifiant que tu ne t'es pas fourvoyé dans une boucherie chevaline, et puis le stéthoscope de caoutchouc rouge craquelé comme une poire à lavement qui dit 33 quand on l'appelle. J'allais oublier la toise dont la butée s'est coincée sur la tête du dernier nain de l'année, et ce pistolet de verre rayé qu'on propose à ton organe quand tu as encore la tête à pisser. Ajoute ici la table d'auscultation, plus pratique qu'une planche à repasser pour brouter du gazon, mais moins que l'échelle d'un wagon-lit. Et les photos de marmots sont remplacées par le portrait barré de crêpe noir d'un couple de vieillards tristes. Dans l'ensemble, l'ambiance poussiéreuse et provinciale est respectée. Aucun tableau au mur ne saurait dissimuler le moindre coffre-fort et la moquette collée au sol interdit l'aménagement d'une cache entre deux lames de parquet, sorry Dr Watson.

Le plaftard m'impose la solution. Comme dans la plupart des salons bourgeois des siècles derniers, le centre en est décoré d'une moulure de plâtre tarabiscotée. Le centre, ai-je bien dit, car les architectes des temps passés, s'ils ne brillaient guère par l'originalité, avaient le compas dans l'œil. Or le motif dont au sujet duquel je te cause se trouve excentré. Légèrement, mais excentré, fais confiance à mon regard de pointeur.

Je grimpe sur une chaise. Bingo ! La moulure se dévisse. Elle a été rapportée et constitue une planque insuffisante pour abriter le porte-poisse *Charles de Gaulle*, mais acceptable pour y receler quelques menus objets. L'inventaire est rapide : une liasse d'euros en coupures de 200, un coffret à bijoux – qui ne contient pas les deux fastueux rubis, je m'empresse de te le signifier, t'ayant habitué à des dénouements un tantichouye plus corsés –, un mini gode fort élégant en glapisse-la-julie, et un sac plastique estampillé Magasins U. C'est ce laxompem qui requiert mon intérêt.

Je l'ouvre de sale gré, pressentant qu'une imminente découverte va me pourrir la vie. Le paquet dont m'a parlé Maxima est au format du livre que tu me fais l'amitié de tenir entre les doigts. Il est enveloppé d'un papier beigeasse imprimé d'un dessin bistre. Depuis tout gosse, j'éventre ces emballages pour en extraire les calepins couverts de moleskine noire, conditionnés par douze, sur lesquels je note les petits touts et les grands riens de mon existence, que je griffonne des portraits, immortalise les numéros de téléphone de filles que je ne rappellerai jamais, connaissant déjà l'essentiel de leur conversation.

C'était donc ça qu'était venu cambrioler à Saint-Cloud notre visiteur d'un soir ? Un malheureux paquet de carnets comme il m'en reste des chiées au grenier !

Au fond de la pochette de plastoche, je découvre une photo en noir et blanc montrant trois types en pull rayé de marin. Celui du centre, qui tient deux copains par le cou, c'est mon père.

Je ne connaissais pas ce cliché.

Et que sais-je d'ailleurs de mon père ?

In casa soia, ancu u cecu
sà induve ellu mette e so mani.

Dans sa maison, même l'aveugle
sait où il pose les mains.

16

Aux dernières

*nouvelles, les Sauveurs ne sont pas
si bien accueillis que prévu en Mésopotamie.
Pourtant, pilonner les écoles et les hôpitaux,
en général, ça attire la sympathie !*

« Si je vous racontais ma vie, vous en feriez un livre ! » me disent souvent des gus sous prétexte qu'ils ont obtenu leur fléchette aux Arcs à quatorze ans, qu'ils ont été réformés pour pieds plats, ont divorcé faute d'avoir soigné leur phimosis et viennent, comble de l'aventure, de se faire voler leur BMW série 3 en plein jour à deux pas des Galeries Lafayette.

Gilles Sorgho, lui, faudrait un vrai roman pour conter son existence de journaliste baroudeur. On se connaît depuis l'époque où il sévissait à *Libé*. Entre temps, l'eau a coulé dans ses pastis et le flot des anis conduit irrémédiablement vers le sud. Il est toujours beau zigue, ruisselant de vivacité, revenu comme un oignon du rissolage du temps. Il a créé sur Ajaccio *Corsica Vera*, un petit hebdo de qualité aussi bien destiné aux lecteurs de passages qu'aux gens du cru.

Son bureau occupe une soupente, rue des Tamaris, dans le quartier des Salines. De là, il concocte seul son baveux, épaulé d'un ordinateur *up to date* et d'une boutanche de Ricard.

Sur son computeur, un scan agrandissime de la photo occupe tout l'écran.

– Au centre, c'est mon père.

Gilles clique sur un bouton du clavier et la photo pivote de 180°. Des noms y ont été tracés à l'encre mauve, chacun en regard des personnages de la partie face.

– On lit nettement San Antonio dans le dos de ton père. Sans le tiret.

– Le tiret de San-Antonio, c'est mon luxe perso. Les blazes des deux autres sont illisibles...

– Attends, je vais réduire le magenta et le bleu du violet apparaîtra plus nettement.

Il bidouille ses touches. Insidieusement se précise les autres signatures.

– G. F U R E T... ânonne mon pote Sorgho.

– Gracieux Furetti, dit la Fourette ! clamé-je, c'est l'homme à la droite de mon dabe. Je commence à piger d'où provient cette photo. C'est lui qui l'a refilée à Buonamorte avant de lâcher la rampe. Pantaléon l'a repassée à sa femme avec toutes les infos pour venir piquer les petits carnets chez moi. Et le troisième homme ? Peu de chance que ce soit Orson Welles !

Gilles manie son clavier avec la dextérité d'un concertiste.

– B. R A G G I... Bertrand Raggi ? Bernard Raggi ?

– Ou Blenno Raggi ? blagué-je sans conviction.

– On va chercher dans l'insondable mémoire d'Internet. Tu n'aurais pas une date pour m'aider ?

– Si. J'ai appelé Félicie, ma brave femme de mère. Elle m'a assuré que mon père, parmi ses nombreux jobs, avait été marin sur un bateau de croisière, deux ou trois ans après ma naissance.

Le millésime, je te le donnerai hors antenne : on a ses pudeurs.

– Le nom du barlu ?

– Elle ne se souvient plus. Mais il appartenait à un nabab qui se faisait payer tous les ans par ses sujets son poids en or, vêtu, repu, mais déchaussé.

– Quelques minutes en ligne, et je te sors la totale. Sers-toi un verre pour patienter.

– C'est un peu tôt.

– Alors sers-m'en un, pas noyé, surtout ! Et sur ton dabe, t'aurais pas des infos qui puissent aiguiller mes recherches ?

– Je l'ai à peine connu. Ce que j'ai retenu de lui, c'est Félicie qui me l'a raconté : son service militaire dans les Chasseurs alpins, son chien Dick qui planquait des os dans tout le pavillon, ses passions pour la pêche au brochet, la chasse aux filles faciles et les airs d'opérette. Mais je me souviens de sa haute silhouette penchée sur le potager, pantalon rentré dans les bottes, des volutes âcres de ses Gauloise bleue, et de sa barbe rêche qui me râpait les joues. Il se rasait pourtant tous les soirs en chantonnant *les Allobroges.*

– L'hymne indépendantiste de la Savoie ? relève Sorgho. Tiens, tiens...

– N'établis pas de corrélation entre le « terroirisme » bonasse de mon Vieux et l'autonomisme corse !

Gilles en revient à la photo.

– N'empêche qu'il fréquentait des insulaires, et pas des plus débonnaires.

Il s'enquille une copieuse rasade du pastaga que je lui tends.

– Bien dosé, Tonio. Et ton pote, le gros sac, qu'est-ce qu'il branle ? Faut pas une plombe pour acheter trois litrons chez l'épicemard du coin !

Explication de texte : Béru était entrée dans la supérette par la rue Gavani. Effectuée l'emplette de quelques menus alcools et d'un bon mètre de figatelli – saucisse fumée de foie destinée à accompagner l'apéro –, il s'était mépris et était ressorti par l'issue donnant sur la rue Candia. Il s'était retrouvé par surprise dans le dos du motard qui ne les lâchait pas depuis leur étrange libération.

Alexandre avait déposé sans bruit son sac de provisions, avait bondi sur l'individu, l'avait plaqué au sol et lui avait arraché son casque.

– Toi ! s'était interloqué Bérurier.

– Moi ! avait admis sobrement l'autre. Il va falloir qu'on joue la partie ensemble, maintenant.

Evidently, je ne suis pas au parfum de ce qui vient de se produire quelques étages plus bas, et même si je le savais, je ne te le dévoilerais pas. Un suspens, ça se ménage à fond pour que ça déménage.

Gilles Sorgho exulte en me brandissant trois feuillets.

– Tout est là ! Regarde. Le yacht s'appelait *El Marachlabit*. Il appartenait au richissime prince Raja-Khon. Alors que le navire croisait au large d'Ajaccio vers les îles Sanguinaires, la pincesse Dégum-Machaat s'est fait voler ses boucles d'oreilles, deux somptueux rubis sertis de la main même de Jean-Roger Bresson qui allait devenir l'immortel joaillier de la place Brantôme.

– Gracieux Furetti avait fait le coup !

– Du cousu main. Il a quitté le barlu dans la nuit sur une chaloupe de sauvetage en compagnie de Bruno Raggi, le troisième homme de la photo.

La question me fuse des tripes :

– Et mon père, il était impliqué ?

– Son nom n'a jamais été cité. Il était leur copain de bord, mais pas forcément complice du vol.

– T'as raison. Mon vieux, il aurait pas passé tant de nuits à confectionner ses cuillers et ses mouches pour la pêche, s'il avait possédé un magot de cette ampleur ; il les aurait achetées quai de la Mégisserie.

Je respire à bloc, m'en surgonfler les chambres à air.

– Mais que faisait-il dans cette galère ?

– Tu m'en demandes trop, Antoine. D'après ce que j'ai pu récolter, Gracieux Furetti a été arrêté huit jours après le casse et n'est jamais ressorti de taule.

– Pour un simple vol de bijoux ?

– Pour l'ensemble de son œuvre. Il avait déjà une douzaine d'homicides à son actif, dont trois flics et un douanier. Ça plaît jamais aux juges, ce genre de bévues.

– Et le Bruno Raggi ?

– Il a pris le maquis et la maréchaussée l'a abattu quelques semaines plus tard, après un mémorable fort Chabrol. Les rubis n'ont jamais été retrouvés.

– Mais pourquoi ces calepins volés chez moi, bordel ?

– Furetti ou Raggi les avaient peut-être confiés à ton père avant d'être coincés, en espérant les récupérer un jour.

– Aux dires de Félicie, papa les avaient rachetés à un imprimeur en liquidation.

– Il était peut-être de bonne foi. Mais ces carnets contiennent sans doute des éléments permettant de remonter aux joyaux.

Je lui montre mon calepin et le feuillette sous ses yeux :

– Vois toi-même ! Ils sont anodins : couverture noire, papier jaunasse, lignés de bleu avec un trait rouge pour la marge. Aucune inscription, pas une lettre, pas un chiffre.

– Par principe, une carte de chasse au trésor, doit être sibylline.

Fébrilisé d'une idée sotte et grenue, je déplie le papier d'emballage des carnets sous le pif de mon tendre journaleux. J'en repasse les pliures avec la paume de la main. Je n'avais jamais accordé la moindre attention au chromo qui l'illustre. Il représente une petite église dont l'originalité tient à son clocher penché, façon tour de Pise.

– Ça te dit quelque chose ?

– Tu parles ! N'importe quel Corse reconnaîtrait l'église de Tollicello.

Tout en jactant, il pianote sur son clavier.

– Tiens ! C'est justement le village natal de Bruno Raggi. Son père y tenait une imprimerie. C'était sûrement lui, l'imprimeur de tes petits carnets.

Ma beuglance fait trembler la vitraille.

– Bravo, mon pote ! Tout se met en place dans ma grosse tronche de cake ! Furetti et Raggi piquent les cailloux de la Dégum. Raggi les planque dans l'imprimerie de son père. Se sachant traqués par la police, les deux voleurs retrouvent mon paternel et lui fourguent un chargement de calepins dont l'enveloppe identifie le village. Des fois qu'ils mûrissent trop lontemps à l'ombre...

– Ça tient la route, ton histoire ! admet Gilles. Tu m'en donneras la primeur ?

– Même *le Monde* ne pourra rien publier avant toi !

– Je t'aime ! conclut cette canaille de Sorgho en se servant sa troisième anisette du matin.

– File-moi une carte de la région, je vais te la retrouver, cette imprimerie !

Gilles tord le naze.

– N'oublie pas tes palmes et ton tuba, parce que ce village a été englouti par E.D.F. il y a plus de vingt ans sous le barrage de Tolla. C'est pas dans l'imprimerie que tu dégauchiras ce que tu cherches, elle a été démontée bien avant l'immersion. Le seul élément qui soit resté en place, c'est ce clocher bancal. Les plongeurs du dimanche vont se baguenauder là-bas et le photographient.

« Trois combinaisons et trois torches puissantes ! » avait demandé Armand Culpa à sa sœur Maxima. Ils ont récupéré les bijoux. Apprenant l'évasion de son jules, Colombina a décidé de faire le vide autour d'elle. Elle a liquidé la smalah tout en s'arrangeant pour me faire coiffer le bitos, à moi, qu'elle savait être le fils d'un homme impliqué de près – ou de loin, j'espère – dans ce qui fut en son heure « le vol du siècle ».

Gilles interrompt mes cogitations.

– Ton Béru, il s'est paumé, ou quoi ?

– Il a dû squatter le troquet du quartier. Je vais le retrouver et il va m'entendre !

– Mets de l'eau dans ta colère avec un alcoolo, sinon ça sert à rien.

Comme je déboule au bas de l'immeuble, quatre mecs cagoulés jaillissent d'une Mercedes noire, armés de gros calibres, et m'entourent.

– Grimpe dans la bagnole ! ordonne celui qui semble diriger le commando.

– C'est toi, Situcci Paoli ? fais-je d'un ton de saint-placide.

– Monte, je te dis, on a à se causer.

– Tu l'as dans le cul, pour les rubis ! Colombina a déjà raflé la mise. Je sais tout, je peux tout te raconter, mais trop tard, t'es endoffé ! Niqué par une gonzesse, c'est pas mariole pour un macho !

– La salope !

– Et je crois que tes emmerdes ne sont pas terminées, regarde !

Une escouade de flics vient de nous encercler, armes lourdes en batterie. D'un coup de saveur, je repère le commandant Leonetti et ses hommes, plus cet enculé de Bœuf-Carottes, et puis mon fils en combinaison de motard avec à ses côtés mon irremplaçable Béru, un cabas posé à ses pieds.

– Rends-toi, Paoli ! T'es fait ! T'es cuit ! braille Dewessau dans un porte-voix de quartier-maître.

– Tu nous as balancé ! crache l'homme d'*A Cunculca* à mon endroit.

– Je suis flic, j'avais donc toutes les raisons de t'arrêter, surtout après la tuerie de Fresnes ! Mais tu t'es piégé toi-même, pauv' naze ! Tu pensais qu'après la mort de Pantaléon, j'étais le seul à pouvoir te livrer les pierres dans un écrin de velours ? Les matuches nous ont relâchés pour t'appâter, ils nous ont filoché et t'es tombé dans le panneau. Tu parles d'un général en chef ! Si ton Napo avait été aussi ringard que toi, pour sa campagne d'Égypte, il aurait pas dépassé la porte d'Italie !

– Dernière sommation ! beugle Anselme Dewessau. Jetez vos armes ou on vous tire comme des lapins.

Situcci abandonne son fusil, ôte sa cagoule et lisse sa queue de cheval.

– Laissons tomber, les gars. C'est une affaire politique. Les juges nous sont favorables, le peuple aussi, et aux prochaines élections on prendra le pouvoir !

Deux autres cagoulards obéissent à leur maître. Seulement le quatrième m'applique le bout de sa pétoire sur la pommette en hurlant comme un forcené.

– Jamais !!!... J'irai pas en taule ! Mon père et mes frères y ont toujours échappé ! J'veux pas être le minable de la famille. Barrez-vous tous, sinon je bute votre commissaire !

L'étreinte du jeune cagoulé, particulièrement rude, et la fébrilité de son doigt tendu sur la détente me dissuadent de toute tentative intempestive dans l'immédiat.

Gros flottement dans les rangs de la poulaille, sauf chez mon Alexandre qui enjambe son panier et s'avance vers nous.

– Doumé ? questionne doucement le Mastard. J'ai reconnu ta voix, petit. Tu vas pas faire l'zouave ? J'témoindrais qu't'es un bon gars. Allez, lâche mon Sana et tout va bien s'passer.

– J'irai pas en cabane ! s'obstine le môme, en enfonçant le canon dans ma joue.

– Tu préfères aller en enfer ? demande Béru

en dégageant un pistolet de sa poche de pantalon.

– Tu comptes m'impressionner avec le vieux Beretta de Buonamorte ? Il est chargé à blanc !

– Lâche mon pote, j'te dis.

– Encore un pas et je le flingue !

A l'éclat qui s'allume dans le regard injecté du Gravos, je sais qu'il va tirer, sans espoir, pour le panache.

Bang !

Le front de Doumé explose. Sous l'impact, le gamin culbute en arrière. Béru se précipite pour lui porter le coup de grâce. Inutile : le terroriste est trois fois plus raide que Letizia Ramolino.

– J'pouvais pas t'sauver la vie un' deuxième fois, mon garçon, s'apitoie Béru en fouillant le macchabée. Pardon, mais j'récupère l'Opinel, y manque à ma collection.

Mon courage n'est plus à vendre ni à vanter ni à éventer ni même à inventer, mais j'avoue humblement avoir ressenti un petit frisson dans la raie duc.

– Merci, Gros !

– C't'un prêté pour un vomi ! L'nomb' de fois

qu'tu m'as z'empêché de trépasser l'alarme à gauche toute !

– Tu pourrais m'expliquer, pour le Beretta ?

Sa Majesté va récupérer son cabas, décapsule une boutanche d'alcool de myrthe et s'en téléphone un bon tiers à titre provisionnel.

– Figure-toive qu'en f'sant mes p'tites commissions, j'ai passé d'vant une armurerie. Ça court les rues, c'genre d'boutiques, dans cette ville. J'ai largué l'chargeur à blanc et j'en ai acheté un vrai.

– Mon Béru, il ne te manque qu'un demi Babybel sur le pif pour ressembler au clown de mes rêves !

Un qui jubile, c'est le Bœuf-Carottes. Pour lui, tout est réglé : Situcci est le coupable idéal, le coupable universel. C'est lui qui a tué tout le monde, qui a tout manigancé. Béru et moi sommes lessivés de tout soupçon. Il interviendra même pour que nous obtenions de l'avancement.

– Voyons, protesté-je, Situcci Paoli a fait évader Buonamorte en provoquant un beau carnage, d'accord ! Mais, pour le reste...

– Stop ! L'affaire est close, on n'en parle plus ! tranche Dewessau. Le ministre est formel. On va cuisiner Situcci, il finira par nous livrer la planque de son copain Lilian Collera, et l'indépendantisme aura vécu en Corse. J'ai déjà ordonné une monstre perquise dans les familles de ces fumiers !

– Le premier fumier, ç'a bien été vous, de nous livrer ainsi en pâture ! marmonné-je.

– Je ne suis pas un fumier, je suis une ordure ! Je me tue à le répéter. Mais je dois admettre que votre fils s'est montré un flic formidable. Il ne vous a pas lâchés d'une semelle.

– J'espérais bien que le motard, c'était lui.

– Il était relié à nous en permanence ; vous ne risquiez pas grand chose. La preuve : un *happy end* !

Toinet vient se planter devant moi.

– Je te demande pardon, Papa. J'admets que j'ai eu des doutes.

Je le serre contre moi.

– Quand tes doutes seront des certitudes, tu seras devenu un vieux con, mon fils. Alors, laisse-les planer, tes doutes.

Mon lieutetant de marmot se retourne vers le magnat de l'I.G.S.

– Si par hasard, mon capitaine, j'émettais une

réserve sur vos méthodes de travail, cela pourrait-il nuire à ma carrière ?

– Quelles réserves ? grognonne Dewessau.

– Ça ! dit mon cher fils en lui explosant la terrine d'un coup de bêlier sur l'arête du naze.

Cette fois, je le laisse opérer.

U biscottu vene à chi hà i denti.
Le biscuit vient à qui a des dents.

17
En arabe

Irak signifie : pays bien enraciné.
Alors la Corse, tu parles !

D'un arrondi du pouce et de l'index, Toinet m'indique que tout baigne. Il est plus habitué que moi au barbotage sous-marin, même s'il s'agit en l'occurrence d'une trempette lacustre.

– Y aer oi le oché ! me dit-il.

Dans le casque audio de ma combine, sa voix ressemble à une émission de Nicolas Hulot.

– Qu'est-ce que tu dis ?

– E oché i é la !

– Le rocher est là ?

– E loché !

– Le clocher ? Ouais, ouais, excuse, je le vois...

Tu te demandes, pauvre nouille, ce qu'on

maquille, mon lardon et moi, par quinze mètres de fond dans ce lac artificiel ? Tu te doutes bien que les rubis ont été récupérés par nos prédécesseurs ou ne le seront jamais. T'as raison, mais j'obéis à mon instinct. Je renifle que Colombina n'est pas ou plus en possession des joyaux. Sinon, pourquoi aurait-elle cuisiné Armand Culpa et abattu Pantaléon ? Depuis une paye, elle se la coulerait douce chez les cousins de l'île Moustique ou aux Seychelles !

Antoine me chope par un bras et m'entraîne dans l'une des ogives du clocher. Sympa, la vie sous l'eau ! J'essaie de me remémorer le temps où j'évoluais dans le doux ventre de Félicie, mais les souvenirs sont si fugaces qu'on en oublie ses premières brasses-papillons.

Il me désigne une cloche entartrée de bestioles nées pour devenir fossiles. Son battant oscille encore sans engendrer le moindre son.

Une corde y est arrimée, qui servit un jour à un bedeau pour annoncer baptêmes et enterrements. Nous la descaladons jusqu'à son bout, lequel s'achève en nœud coulant serré autour d'un cou, lui-même prolongé d'un corps enveloppé d'une combinaison de plongée fendillée, gonflée pire qu'une outre en laquelle Béru aurait louffé ses vingt derniers cassoulets.

Impossible de te dire si Monica Belluci ou Luciano Pavarotti pourrit à l'intérieur.

La réponse est venue des services anthropométriques du commandant Leonetti : le mort était une morte – *Colombina Buonamorte !*

Toute ma théorie était à réviser, mais pas tant que ça ! D'autant qu'un coup de fil de mon vieux Pinuche a remis les choses en place, tu vas voir :

– Allô, San-A ? C'est César.

– Avé !

– Ne plaisante pas, c'est très sérieux. Sur mes instances, l'enquête sur la mort du peintre Michel Ange a été reprise par Mélanie, la fille de Mathias, dont je te signale qu'elle est presque aussi douée que son trahisseur de père...

– Abrège !

– Bien ! Les préambulles n'étant pas à ton goût, je te les sers *sin gas...*

– Vas-y !

– Pour faire court, la balle provenant de ton arme et retrouvée dans le crâne du peintre a été tirée *après* que son corps eut été torréfié !

Un remugle mémoriel revient me tracasser les

narines. Dans l'atelier où Michel Ange cramait les portraits de sa maîtresse planait bel et bien une odeur de mort. Par amalgame, je l'avais associé aux senteurs de brûlé qui empestait l'atmosphère. Maintenant, je le sais : c'était déjà un parfum de cadavre qui m'investissait.

– Tu m'entends ? s'inquiète Pinuche.

– Comme je sens ton haleine.

– Bien. Alors Mélanie a procédé à des analyses sur la base de techniques ultramodernes, dont l'identification génétique, et je vais t'annoncer un scoop à s'couper le souffle : le cadavre calciné n'était pas celui de Michel Ange, mais...

– Celui de Freddo Pozzo di Zobo ! achevé-je.

Bourrasque de dépit sur la ligne.

– T'es insupportable, San-A, tu sais toujours tout avant tout le monde !

– Ce que je ne sais pas, je le devine, et ce que je ne devine pas, je l'invente.

La vieillasse se dilue au bout du fil.

– Je peux plus te servir à rien, à mon âge.

– Si ! Trouve-moi le receleur le plus pointu sur Ajaccio en matière de bijoux, le fourgue incontournable. Je te laisse dix minutes pour cette mission impossible. Au-delà, ma confiance en toi s'autodétruira.

Je m'attendais à un vieux schmoldu égrotant coiffé d'une loupe sur le pif. Je me retrouve face à une soixantenaire encore presque séduisante, en chemisier blanc agrémenté d'un foulard prune. Les mesquineries du temps l'ont quelque peu épargnée. Elle parle de cette voix rauque des fumeuses impénitentes. Des filaments rosâtres persillent ses pommettes, preuve qu'elle ne lésine pas non plus sur les breuvages musclés.

– Vos rubis, il faut que je les voie pour les estimer.

– Ils sont exceptionnels et proviennent de la collection d'une authentique Maharabite.

– Il est nécessaire que je les expertise.

– Bien. Je vais vous les apporter. A quelle heure ?

– Disons... en fin de journée.

Je lui virgule une œillade charmeuse.

– Vous savez que vous êtes encore belle ?

– Vous savez que je m'en fous ?

Je me barre avec la certitude qu'elle m'aura pris pour un lavedu. J'en ai la preuve en débarquant dans la camionnette sous-marin que le commandant Leonetti a mis à notre disposition. La receleuse est déjà en train d'appeler un numéro. Antoine monte le son.

« *Raphaël, j'écoute.*

– C'est l'entreprise Claude. Un type vient d'essayer de me fourguer des caillasses rouges.

– San-Antonio ?

– J'sais pas. Un beau gosse, pas trop futé. Il va repasser avant la nuit.

– J'arrive. On l'attendra ensemble. »

Fondu au noir.

La baffe que j'ai administré à Michel Ange résonnera encore dans cinq années-lumière au-delà d'Alpha du Centaure, Hubert Reeves me l'a certifié.

Je n'ai pas eu le cœur de l'interroger. Alexandre et mon Toinet d'amour s'en sont chargés.

Il a craché le morcif ! Tout ce que je suppositoirais s'est vérifié. Te dire la qualité de mon raisonnement ! Le bémol tient à ce que j'avais hâtivement préjugé de la culpabilité de Colombina. En fait, elle voulait vraiment chourer le magot pour vivre avec Pantaléon. Le peintre n'était qu'un agace-cul de passage. Elle s'est servi de lui, de sa double vie d'artiste méconnu et de révolutionnaire secret. Docteur Michel Ange et Mister Raphaël. Belle trouvaille ! S'il avait eu autant d'imagination pour peindre, il n'aurait pas eu à perpétrer ces crimes à la chaîne, que je te les numère pour si des fois t'aurais oublié : Freddo, Dino et Rocco Pozzo di Zobo, son vieux pote Armand Culpa, Pantaléon Buonamorte et Maxima Culpa.

Cuisiné selon les tours de main du chef Béru, Michel Ange a également reconnu l'amputation de Corinne Follducq en sus des meurtres précités, plus celui de Colombina dont il pressentait la trahison. Ils ont dû plonger plus de dix fois, à deux ou en compagnie d'Armand Culpa, avant de découvrir les rubis. L'emballage des petits carnets montrant le clocher tordu ainsi que la photo des trois hommes, étaient les seuls éléments que Raggi, méfiant, avait confiés à son complice Furetti, puis Furetti à Buonamorte, et Buonamorte à sa femme.

Ils ont failli renoncer, d'autant plus qu'à l'époque où le magot avait été caché, le village n'était pas encore inondé. L'irruption de l'eau sur le site n'avait-elle pas balayé les deux malheureuses pierres précieuses ? C'est dans une petite cocotte en fonte, nichée derrière une pierre amovible, au sommet du clocher, que le trésor était planqué. Malgré le couvercle riveté, l'eau avait fini par s'insinuer et emplir la gamelle.

L'or de la monture des pendants s'était légèrement altéré, mais les rubis resplendissaient de tous leurs feux sous le rayon de la torche. C'était féerique.

Profitant de l'absence d'Armand lors de cette immersion, Michel Ange avait suprimé sa maîtresse, laissant croire à Culpa qu'elle avait été victime d'un accident de plongée.

Ils avaient alors désossé les pierres pour les dissocier de leur monture portant la trop célèbre griffe du joaillier Bresson, puis ils étaient rentrés à Paris se faire oublier un brin.

L'évasion de Pantaléon a paniqué Michel Ange : le truand ne tarderait guère à savoir, s'il ne le savait déjà, qu'il avait été l'amant de sa femme, puis à découvrir qu'il l'avait assassinée.

Il fallait disparaître et de préférence devant un témoin irréfutable, en l'occurrence Mécollepâteuse ! Surtout que, vu l'implication de feu mon dabe dans le dossier, je ferais un merveilleux bouc-commissaire.

Seul bémol, mais de taille : le jour de l'incendie volontaire de l'atelier, les deux rubis ont disparu ! Le peintre a d'abord pensé à une arnaque d'Armand Culpa. Mais, après l'avoir interrogé énergiquement, il a dû conclure à son innocence et reporter ses soupçons sur moi.

L'habitant du cimetière de Santa-Pina me l'avait dit : « Armand Culpa a été torturé et estourbi par son meilleur ami. »

On ne croit jamais assez les vieux fous.

Tagliami capu è pedi
ma lampani induve i mei.

Coupe-moi la tête et les pieds
mais jette-moi chez les miens.

18

– Tu es

tellement sûr de toi, Antoine,
tellement convaincu d'avoir raison,
et tant accaparé par ton métier que tu me fais penser à...
– A mon père ?
– Ton père était un être simple
qui m'a beaucoup trompée sans vraiment me trahir ;
non, je vais me montrer plus dure envers toi :
tu te comportes comme le fils et successeur
du précédent Bush.
Avec Marie-Marie, en tout cas !

Félicie dépose sur mes genoux un plateau regorgeant de croissants tièdes, de confitures maison et d'un miel de vraie ruche.

Elle m'embrasse sur le front, un baiser sec, inhabituel. Puis tourne les talons. La porte claque derrière elle ; un courant d'air, sans doute.

Je vire le petit dèje sur la table de nuit. T'aurais faim, toi, après une telle admonestation de ta maman préférée ?

Je me gratte les couilles, réflexe masculin irrépressible, même au plus fort de la détresse affective, et vais me planter devant la fenêtre.

Dans le jardinet, ma petite Antoinette balade son hamster dans une brouette de poupée.

Je porte le regard sur la maison d'en face, celle de la veuve Charretier. Au premier étage, un rideau s'abaisse furtivement.

Un saut dans mon froc plus tard, je sonne chez ma voisine. Robe de chambre en pilou, bigoudis roulés sur sa blondeur décolorée, la femme est plus inquiète qu'étonnée de ma présence.

– Commissaire ?

– Vous faites pension de famille depuis que votre croque-mort de mari a bouffé son fonds de commerce, madame Charretier ?

– Je ne vois pas...

Un pas dans l'escalier modèle Trianon de chez Lapeyredeuc. Un pas fluide de fée en mouvance. Marie-Marie paraît, jean moulant, t-shirt laissant danser les pointes de ses seins. Dieu que l'absence embellit les femmes !

– J'attendais que le grand flic me découvre, dit-elle.

– Je savais que tu ne pouvais pas vivre sans ta fille sous les yeux.

Nous nous embrassons avec la fougue des retrouvailles.

Le peignoir de la mère Charretier s'écarte. J'hésite à lui glisser un doigt discret. Tu vois que je sais profiter des leçons de ma vieille !

Nous traversons la rue bras dessus, bras dessous.

– Si tu me racontais ? demandé-je à Marie-Marie.

– Après ton lâchage au Pigeon Truffier, j'errais devant le restaurant, désemparée. J'ai vu sortir le maître d'hôtel. Il avait l'air préoccupé. Je l'ai suivi, pensant qu'il allait peut-être te rejoindre.

– Et tu as perdu ton camée ?

– Je m'en suis aperçu presque tout de suite. Le temps de le chercher, l'homme avait disparu sur un chantier. Alors j'ai fait demi-tour... et j'ai constaté que j'avais oublié ma bague sur la tablette du lavabo. Mais le restau était fermé.

Magicien dans l'âme, je fais appparaître les anneaux en question et les enfile en tout bien tout honneur au doigt fuselé de ma dulcinée.

– J'ai réfléchi, lui murmuré-je à l'oreille, je vais t'épouser.

– J'ai réfléchi aussi, répond-elle. L'amour à mi-temps, ça nous convient très bien.

On se remmêle les muqueuses, passionnément. Un hurlement en provenance de notre jardin nous fait presser le pas.

Antoinette se lamente devant son hamster.

– Il va mourir ! Il va mourir ! Regarde, papa, il vient de faire deux énormes cacas rouges !

J'éclate d'un rire falstaffiesque.

T'as compris ou il faut que je t'explique ? C'est Grimblat, rebaptisé Taupin, qui avait avalé les rubis. Et il vient de nous les restituer selon un processus naturel que je vais pas te détailler, à toi, le Roi du Trèfle insonore.

– Ça doit valoir des sous, des joyaux pareils ! s'abasourdit Féloche qui vient de nous rejoindre.

– On va essayer de retrouver les descendants de leur légitime propriétaire.

Maman entraîne ma fille et son rongeur vers la maison.

– Il va aller très bien, ton hamster, ma chérie, maintenant qu'il a aidé ton papa à achever son livre.

Marie-Marie m'attire vers l'appentis où j'ai de longue date aménagé un lit à toutes frénésies utiles.

– Et alors, dit-elle, c'est comment la Corse ?

– Sublime et tragique, comme toutes les grandes œuvres. Le Maure n'a rien à espérer du continent. On a tout à craindre de lui. Son bandeau flotte aux vents de l'histoire comme une girouette. Ça va encore se corser !

FIN

Toute personne
n'ayant pas acheté et achevé ce livre,
pourra être la cible d'une vendetta à domicile.
Qu'on se le dise !

Voix aux chapitres

Acte I

Acte II

Acte III

Acte IV

Composition et mise en pages réalisées
par ÉTIANNE COMPOSITION
à Montrouge

Impression réalisée sur CAMERON par
BRODARD ET TAUPIN
La Flèche

pour le compte des Éditions Fayard
en septembre 2003

Imprimé en France
Dépôt légal : septembre 2003
N° d'édition : 37040 – N° d'impression : 20449
ISBN : 2-213-61670-1
35-33-1870-1/01